회귀 경찰의

리셋 라이프

The Reset Life

회귀 경찰의 리셋 라이프 1

초판 1쇄 발행 2021년 9월 13일

지은이 ㅣ 한길
발행인 ㅣ 신현호
편집장 ㅣ 이호준
편집 ㅣ 송영규 최종건 정재웅 양동훈 곽원호 조정범 강준석 최성화
편집디자인 ㅣ 한방울
영업 · 관리 ㅣ 김민원 조인희

펴낸곳 ㅣ ㈜ 디앤씨미디어
등록 ㅣ 2002년 4월 25일 제20-260호
주소 ㅣ 서울시 구로구 디지털로 26길 111 JnK디지털타워 503호
전화 ㅣ 02-333-2513(대표)
팩시밀리 ㅣ 02-333-2514
E-mail ㅣ papy_dnc@dncmedia.co.kr

값 8,000원

ⓒ 한길, 2021

ISBN 979-11-364-2582-9 04810
ISBN 979-11-364-2581-2 (SET)

Papyrus Modern Fantasy
한길 현대 판타지 장편소설
회귀경찰의
리셋라이프
1
PAPYRUS
파피루스

프롤로그

프롤로그

부우웅.

깜깜한 새벽, 서울을 빠져나가는 차 안.

190cm의 큰 키를 가진 48세의 깡마른 중년인 최종혁이 눈물을 흘리고 있다.

"안 돼, 이렇게 가면 안 돼."

손으로 닦아 내지만 눈물은 하염없이 흘렀다.

지이잉!

최종혁은 더듬더듬 귀에 손을 가져갔다.

―어디신데요! 지금 다 바쁜데!

2000억대 무기명 채권 위조 사기.

현재 지능범죄수사대 전부가 매달리는 사건이다.

청와대에서도 모니터링을 하는 사건이었는데, 얼마 전 일당을 일망타진하며 사건이 종결될 예정이었다.

……갑자기 새로운 존재가 튀어나오지만 않았다면.

단순 연락책인 줄 알았던 놈이 총책임자였다.

게다가 모두를 속인 그놈 뒤에는 어떤 세력이 있었다.

어떤 이들을 만났다는 증언들. 범행 수법과 연락 체계가 치밀했다.

거기다 윗선에서 압력이 들어왔다.

경찰청장마저 움직이게 만드는 세력.

─곧 감찰에서 등에 칼을 꽂을 텐데 팀장이란 사람이!

그럴 것이다.

하지만 지금 종혁에겐 그딴 건 아무래도 상관없었다.

"크흡! 현석아."

─왜요!

"엄마가 죽었단다."

─……내 말 단디 들으소! 지금 갈 테니까 이상한 생각 말고!

20살 꽃다운 나이에 아버지와 결혼해 힘들게 살아오신 어머니.

"자식이라고 하나 있는데! 해 드린 것도 없는데! 죽었다고!"

십대에는 운동.

이십대부턴 경찰 일 때문에 뵙지 못한 어머니.

48년 동안 생일 한 번 챙겨 드리지 못한 어머니.

손발 부르터 가며 자식새끼를 뒷바라지한 그런 어머니를 종혁은 버렸다.

성공하고 싶어서.

더 높은 곳으로 올라가고 싶어서.

그동안 외면했다.

그럼에도 아들이 먼저라며 다독이던 어머니가 죽었다.

'바쁘니까 전화하지 마요!'

'운동 중이에요!'

이럴 줄 알았다면 따뜻하게 말할걸.

한 번씩 찾아뵙고 맛있는 것도 사 드릴걸.

종혁은 이제야 후회하고 또 후회했다.

"흐아아아악!"

─정신 차리라고, 좀! 사고 나니까 갓길에 차 세우고! 야, 최종혁! 이 씨발놈아!

끼기긱!

그는 갓길에 차를 세웠다.

"끄으윽! 흐어억!"

─운전대에서 손 떼고 지금 위치 문자로 보내소! 안 보내면 형님은 나한테 죽어!

전화가 끊겼지만 종혁은 울음을 멈출 수 없었다.

그렇게 얼마나 울었을까.

종혁은 고개를 뒤로 젖혔다.

"흐우, 후우."

그는 더듬거리며 박스에서 담배를 꺼냈다.

26년 전, 22살 순경 생활 때 위의 3분의 2를 도려내며 몸이 이렇게 쏘그라든 이후 잘 피지 못한 담배.

힘든 일이 있을 때마다 겨우 한 대씩 무는 담배.

부르릉!

앞에 덤프트럭이 서 비상등을 켰지만, 종혁은 무시하며 담배를 물었다.

치익!

"쿨럭! 쿨럭!"

쿵쿵쿵!

"이봐요! 괜찮아요? 도와 드려요?"

종혁은 신경질적으로 손을 저었다.

"정말 괜찮아요?"

빠아앙!

종혁은 클랙슨을 눌렀다.

"에이, 걱정돼서…… 어? 어? 어?"

'왜?'

고개를 뒤로 돌린 종혁의 눈이 커졌다.

이쪽을 향해 달려드는 커다란 그림자.

부아아아앙!

꽈아앙!

'컥!'

그렇게 정신을 잃었다.

* * *

"……뻔했잖아! 신호 기다리라니까!"

'무슨…… 소리지?'

어디선가 들려오는 목소리에 종혁은 겨우 눈을 떴다.

마약을 한 것처럼 몽롱해진 정신을 붙잡고 주변을 둘러봤다.

몸과 부서진 차가 붙어 있다.

아니, 차가 몸을 먹었다.

'천벌인가…….'

천륜을 외면한 불효자에게 하늘이 내린 벌.

그렇게 자책하던 그때, 목소리가 이어서 들려왔다.

"살았나? 아, 곧 죽겠네."

간신히 보이는 틈 사이로 자신을 내려다보는 누군가.

"그러게 덮으랄 때 덮었어야지. 그러면 제 어미도 죽지 않았을 텐데."

'뭣?'

이어진 말에 희미해지던 정신이 순간적으로 또렷해졌다.

어머니의 죽음.

그것이 자신과 연관이, 자신이 쫓던 놈들과 연관이 있다는 말인가?

눈을 부릅뜬 종혁은 그를 보려고 했다.

하지만 고개가 돌아가지 않았다.

'안 돼. 이 새끼 봐야 하는데!'

파사삭!

팔뚝이 들어와 블랙박스를 뜯어냈다.

'손목에 문신, 나무 냄새…… 목소리는 젊지 않고…….'

"됐어, 철수해."

부르릉!

덤프트럭 두 대가 떠나는 소리가 귀에 울렸다.

곧 조용해진 고속 도로 위.

종혁의 두 눈에서 피가 흘러내렸다.

'미안해요. 죄송합니다. 어머니…… 보고 싶습니다…….'

그의 눈이 스르륵 감겼다.

1장. 회귀

회귀

빠악!

"……주, 죽은 거 아냐?"

"모, 몰라!"

주저앉은 종혁은 눈을 깜빡였다.

삐이—!

이명이 울리는 귀 때문에 정신을 차릴 수가 없었다.

고개를 든 그는 다시 눈을 깜빡였다.

2미터 높다란 담벼락이 양옆으로 세워진 좁은 골목길과 10명의 바지통 줄인 교복 입은 학생.

그리고 손에 든 각목.

"뭔가 낯설면서 낯설지 않은 상황인데."

담벼락 위에 꽂힌 깨진 유리병들이 추억을 자극한다.

움찔!

"봐! 살아 있잖아!"

"야 이 씨발, 최종혁!"

"……아."

종혁은 그제야 아주 오래전의 기억을 꺼낼 수 있었다.

무제한급 유도 유망주였던 그가 몰락했던 악몽 같은 사건.

1997년 17살 봄, 이곳에서 검지와 팔꿈치 인대가 끊기면서 유도 인생이 끝났다.

"주마등이네."

옛날과 똑같은 상황이다.

가끔씩 악을 지르며 깨는 악몽 같았던 날.

'내가 이때 다치지만 않았다면.'

어쩌면 메달리스트가 됐을지도 모르고, 경찰이 아니라 유도 코치나 감독이 됐을지도 몰랐다.

뭐가 됐든 최소한 20살 순경이 되고 22살에 지원을 나갔다가 칼에 찔려 위의 3분의 2를 도려내지는 않았을 것이다.

그 사건으로 인해 강력계에 가게 됐지만, 험악한 범죄자들과 조직 생활에서 살아남기 위해 160kg에서 65kg으로 쪼그라든 몸을 움직여 온갖 격투기를 익히고 남들보다 수십 배 공부하고 노력했다.

결국 노력 끝에 지능범죄수사대의 팀장이 됐지만 그때의 한이 남았다.

'그게 중요한 게 아니지.'

이게 정말 주마등이라면, 이런 놈들이랑 놀아 주고 있을 시간은 없었다.

마지막으로 한 번만이라도 더 보고 싶은 얼굴.

그 얼굴을 보러 가야만 했다.

'엄마.'

종혁의 눈빛이 또렷해졌다.

"어이구."

땅을 짚고 일어난 종혁은 정수리에 손을 올렸다.

피가 흥건한 손바닥을 본 그는 헛웃음을 지었다.

"씨부럴. 달건이나 뽕쟁이 새끼들도 아니고 이런 고삐리 새끼들 때문에 선지를 다 뽑네."

강력반, 마약반, 광역수사대, 지능범죄수사대.

경찰 생활만 28년이고, 형사 생활만 26년이다.

아무리 주마등이라지만, 팀원 강현석 경감이 보면 최소 1년은 놀릴 터다.

"개새끼야! 네가 그렇게 잘났냐!"

"운동부면 운동부답게 모른 척하라고!"

'맞아. 그랬지.'

이 당시 불의를 보고 넘기지 못했던 그는 학우들의 삥 뜯는 일진들의 행태를 참지 못했다.

그러다 결국 이 사단이 났다.

종혁은 한숨을 내뱉었다.

"어이, 꼬꼬마들. 서로 피 봤으니까 이 정도에서 끝내는 게 어떠냐? 그럼 이 아저씨도 여기서 끝낼게."

그렇게 말했지만 종혁은 알고 있다.

글렀다는 걸 말이다.

이 시절의 십대들은 미래와 다르게 깡이 좋았다.

청룡 쇼바 장착한 오토바이 정돈 타고 다녀야 일진 축에 껴 주던 살벌한 90년도.

역시나였다.

"지랄! 뒈져!"

"어휴."

'음?'

종혁은 휘둘러지는 각목을 빤히 봤다.

'뭐가 이렇게 느려?'

굼벵이가 기어 오는 것 같은 속도.

종혁 그 자신의 몸이 움직이는 것도 매우 느렸다. 마치 모두가 이상한 시간 속에 갇힌 듯했다.

'내 동체 시력이 이렇게 좋았나.'

고된 경찰 생활에 일찍 노안이 왔기에 잘 기억이 나지 않았다.

'뭐든 땡큐지.'

이 당시 머리를 맞은 후 정신이 없어 이리저리 발악하다가 검지와 팔꿈치 인대가 끊겼다.

종혁은 각목을 휘두르는 놈의 팔을 휘감아 안쪽으로 파고들며 허리를 튕겼다.

부웅! 뻐억!

"컥!"

"오, 한 판."

그가 생각해도 완벽히 깔끔한 한 판이었다.

사람을 넘기는 감각조차 없는 소름 끼치는 한 판.

느려진 시간이 이걸 가능케 했다.

일어선 종혁은 게거품을 문 친구를 보고 하얗게 질리는 일진들을 보며 목을 좌우로 꺾었다.

"꼬마들아, 이게 특수 상해에 살인 미수인 건 아냐? 무기까지 들었으니 그지 같은 소년법이라고 해도 9, 10호 처분이다?"

"뭐, 뭐라는 거야!"

"뭐긴 뭐야. 다 뒈졌다는 거지."

종혁은 사납게 이를 드러내며 성큼 발을 내디뎠다.

쿵!

그러자 일진들이 한 발 물러섰다.

거대한 호랑이가 다가오는 듯한 공포가 그들의 몸을 잠식했다.

종혁은 입꼬리를 올렸다.

'지금!'

종혁은 돌연 몸을 돌려 땅을 박찼다.

목표는 등 뒤에 있었던 집의 문 옆 담벼락.

일진들 따위에게 낭비할 시간이 없다. 얼른 어머니를 만나야 했다.

"뭣?! 자, 잡아!"

"후웁!"

타악!

점프를 한 순간, 다시 시간이 느려졌다.

담벼락을 두 번 찬 종혁은 눈을 동글게 떴다.

'오?'

왜인지 담벼락 너머가 보이고 있다.

'허. 이때 내 피지컬도 이렇게 좋았나?'

종혁은 담벼락 끝을 잡았다.

그의 몸이 날랜 맹수처럼 가볍게 담벼락을 넘었다.

"야, 이 개새끼야!"

"너 내일 뒤졌다, 진짜!"

종혁은 담 너머에서 들리는 소란에 씩 웃었다.

"아무리 넘으려고 해 봐라, 넘어지나."

3미터 높이는 날고 기는 빈집털이범들도 어려운 높이다.

몸을 돌리던 종혁은 흠칫 놀랐다. 마당에 긴 생머리 안경을 쓴 소녀가 멍하니 쳐다보고 있었다.

"아이고. 미안합니다, 학생. 저놈들은 신고해 버리세요. 그럼!"

종혁은 재빨리 이 집의 뒤를 향해 몸을 날렸다.

"아, 저기!"

부르는 소리가 들려왔지만 종혁은 무시했다.

'지금 갑니다, 어머니.'

다시 담을 넘어 도로로 나온 종혁은 지금쯤 어머니가 계실 곳을 향해 달렸다.

"저기 봐!"

"학생! 괜찮아요?"

들리는 말을 모두 무시하며 도착한 곳은 지하철역 입구였다.

20미터 가까이 천막들이 늘어서 있다.

이 시기 어머니는 이른 아침 출근하는 사람들을 위해 거리에서 어묵과 김밥을 팔고, 낮부터 저녁까진 떡볶이와 튀김을 팔았다.

그렇게 힘들게 번 돈으로 종혁을 키웠다.

두근두근.

다시 시간이 느려졌다.

느릿한 시간을 헤엄치며 한 천막 앞에 선 종혁의 눈이 떨렸다.

스무 살 어린 나이에 자식을 낳자마자 남편을 사고로 잃은 후 힘들게 살아오신 어머니.

무시하고 외면한 놈이 뭐 그리 좋다고 우리 아들, 우리 경찰 아들 하던 어머니가 살아 계셨다.

그의 눈앞에서 생생하게.

훨씬 더 젊고 예쁜 모습으로.

종혁은 이를 악물었다.

"어서 오세…… 아들?"

"어, 엄마."

떨리는 손으로 천막을 걷고 안으로 들어간 종혁은 어머니의 얼굴에 손을 가져갔다.

고작 서른일곱 살, 꽃이 만발할 나이임에도 거칠고 푸석한 얼굴이 그의 심장을 도려냈다.

　　털썩 종혁은 그녀의 앞에 무릎을 꿇었다.

　　"아들, 갑자기…… 피, 피?!"

　　"끄흑! 미안합니다. 정말 미안해요."

　　만나면 꼭 하고 싶었던 말.

　　종혁은 울음을 토해 냈다.

　　"아들-!"

                    * * *

　　짜악! 짝!

　　"아 따가!"

　　"내가 차라리 때리라고 했지, 처맞으라고 했어?!"

　　등짝이 터졌지만, 종혁은 웃었다.

　　'정말 살아 계신다.'

　　주마등이 아니다.

　　아픔이 생생하게 느껴진다.

　　'회귀.'

　　영화나 드라마에서나 있을 법한 일.

　　그러나 믿을 수밖에 없다.

　　젊어진 어머니의 모습.

　　그리고 마찬가지로 젊어진 자신의 육체.

　　185cm, 140kg으로 다시는 가질 수 없을 거라 생각했

던 피지컬의 몸으로 돌아왔다.

하지만 몸이 어떻든 상관없다.

어머니와 다시 만나고, 다시 살 수 있게 되었다.

그저 하늘에 감사할 뿐이었다.

"웃어? 지금 웃음이 나와?!"

짝! 짝!

"악! 윽!"

"아주 더 맞아야 돼!"

"어머님, 그렇게 때리시면 봉합하기 힘듭니다."

의사의 말에 손을 거둔 그녀는 거구의 아들을 보며 피식 웃었다.

'복권을 사야 하나.'

웬일로 노점상에 찾아온 것도 모자라 끌어안고 통곡을 한 아들.

얻어맞고 정신을 잃은 사이 꿈에서 엄마가 죽었더랬다.

15살 사춘기 이후 데면데면해진 아들의 귀여운 모습을 너무 오랜만에 보자 그녀는 절로 웃음이 나왔다.

'우리 아들 사춘기가 드디어 끝났나 봐, 도철 씨.'

죽은 남편이 도와준 것 같아서 그녀는 기뻤다.

하지만 아직은 긴장을 놓지 말아야 했다.

"다 됐습니다. 당분간 머리 감지 마세요."

"감사합니다, 선생님."

병원 응급실을 나온 고정숙은 종혁을 보았다.

"먼저 들어가. 나도 곧 들어갈게."

움찔!

종혁은 어머니의 손을 잡았다.

"같이 가요."

고정숙의 미간이 찌푸려졌다.

"정말 뭔 사고를 쳤는데? 합의금 많이 나와?"

아들이 이 정도 맞았다면, 상대는 묵사발이 났을 것이다.

"나도 이제 진짜 고등학생이에요. 왜 사고를 쳐. 일부러 맞은 거 보면 몰라?"

"맞은 게 자랑이다. 정말 왜 이러는데? 낯설어, 아들."

"효도하려고."

앞으로 계속.

다시 살게 된 삶.

어머니를 위해 살겠다고 종혁은 다짐했다.

'그리고 그 새끼 잡아야지.'

어머니를 죽인 놈을 잡아야 했다.

아니, 죽여야 했다.

그의 두 눈에 살기가 들어차기 시작했다.

'치밀한 새끼들.'

무기명 채권 위조 사기뿐만 아니라, 종혁 본인을 죽인 수법이 잔인하고 치밀했다.

아마 이런 범행이 한두 번은 아닐 것이다. 5년, 10년, 어쩌면 그 이전부터 이렇게 해 왔을 것이다.

그렇지 않으면 이렇게 대담하면서 세밀할 수 없었다.

이런 놈들을 잡기 위해선 높은 자리에 올라가야 했다.

지능범죄수사대 팀장 정도가 아니라 경찰청장.

아니면 서울 대검 검사.

예전처럼 순경으로 시작하는 게 아니라 무조건 경찰대나 한국대 법대를 가야 했다.

'경찰대건 한국대 법대건 무조건 간다!'

종혁은 어머니의 손을 꼭 잡았다.

"진짜 왜 이러지?"

"누가 우리 예쁜 여사님 낚아챌까 봐."

"얼씨구?"

그렇게 두 모자는 어느새 어두워진 밤거리를 걸었다.

* * *

달그락달그락.

번쩍 눈을 뜬 종혁을 옆을 보았다.

어젯밤 품에 안겨 잔 어머니가 보이지 않았다.

대신 고소한 냄새가 코를 자극했다.

벌떡 일어나 이불을 갠 그는 문을 열고 나갔다.

좁은 반지하의 좁은 부엌에 선 어머니가 햄이나 지단 등을 반찬 통에 챙기고 있었다.

집에서 김밥을 다 말아 가면 편할 테데도 어머니는 음식은 따뜻해야 된다며 꼭 노점상에서 말았다.

"좋은 아침이에요, 엄마."

화들짝 놀란 고정숙이 시계를 보았다.

겨우 새벽 3시였다.

"머리 아파?"

"아뇨. 그냥 깼어요."

종혁은 화장실로 들어가 씻고 나왔다. 그것도 모자라 옷도 교복으로 갈아입었다.

"벌써 학교 가게?"

"아니, 엄마 따라가게."

"뭐?"

"다 챙기셨죠?"

그는 식탁 위에 쌓인 재료들을 번쩍 들었고, 고정숙은 이런 아들의 모습이 놀랍고도 대견스러워 웃음이 나왔다.

두 모자는 새벽길을 나섰다.

도르르륵!

"안 힘들어? 여기 수레에 올려."

"아들 덩치를 봐. 안 힘들어요."

'어머닌 이 먼 길을 매일 걸으셨구나.'

깜깜한 거리를 1시간 걸었다.

어젠 지하철을 탔기에 몰랐던 어머니의 출근길.

아들을 먹여 살리겠단 일념 하나로 159cm 작은 체구의 어머니는 무거운 손수레를 끌고 걸었을 것이다.

1990년부터 1997년인 지금까지, 그리고 앞으로도.

미래엔 골드 미스라 불릴 나이임에도 벌써 어깨가 굽은 어머니의 등을 보자 다시 울컥 눈물이 솟았다.

'병신 새끼, 병신 새끼.'

골목에 숨겨 둔 노점상 천막을 꺼내 지하철역에서 20미터 떨어진 곳에 세운 종혁은 뻣뻣한 비닐 천막을 조심스레 폈다.

곧 지하철역 쪽으로 노점상 천막들이 줄줄이 늘어섰다.

"어머, 정숙 씨. 누구야? 애인이야?"

"아들이요!"

"뭐? 이렇게 큰 아들이 있었어?"

천막을 펴던 상인들이 모두 놀라 쳐다봤다.

절로 위압감이 넘치는 덩치.

종혁은 허리를 숙이며 우렁차게 외쳤다.

"안녕하십니까! 최종혁입니다! 저희 어머니 잘 부탁드립니다!"

새벽 밤거리에 쩌렁쩌렁 울리는 그의 외침에 상인들은 슬그머니 웃었다.

"아, 운동한다던 그 아들이구나!"

"들은 것보다 훨씬 더 듬직하네! 정숙 씨 좋겠어!"

"갑자기 헛바람 들어서 이러는 거예요."

"하루라도 어디야! 내 새끼도 이러면 얼마나 좋을까!"

종혁은 어깨가 으쓱으쓱하는 어머니를 보며 푸근히 웃었다.

그는 천막 안으로 들어갔다.

좁은 천막에서 맞붙는 온기가 참 따뜻했다.

"같이 싸요."

"진짜 어제오늘 왜 이러지? 사고가 아니면 용돈인가?"

"앞으로도 계속 이럴 거예요."

"흠, 믿어도 되는 거야?"

"진짜예요."

"그래, 그래. 엄마가 한번 믿어 볼게."

종혁은 자신의 엉덩이를 토닥토닥 두들기는 어머니의 손에 행복했다.

"그런데 김밥 쌀 줄 알아?"

"……어묵 끓일게요."

"거기 물 넣고 끓이다가 육수망에 넣으면 돼."

방금 전 근처 건물에서 길어 온 물을 조리 기구에 넣을 때였다.

왼쪽으로 천막 하나가 섰다.

"정숙아!"

고개를 든 종혁은 굳었다.

분 냄새 풀풀 나는 싸구려 화장에 처진 눈.

종혁은 잊을 수 없는 그 얼굴을 단번에 알아보았다.

안 그래도 고달픈 어머니의 삶을 더욱 구렁텅이로 몰아넣은 사건이 있다.

6천만 원에 달하는 거액의 계.

그 곗돈을 계주가 들고 잠적한 것이다.

그리고 그 범인이 바로 눈앞의 여인, 사기 전과 5범 송
양자였다.

"예숙 언니!"

반갑게 송양자를 바라보며 소리치는 어머니의 모습.

그리고 보니 당시 송양자는 예숙이라는 가명으로 어머
니에게 접근했었다.

"……누구야?"

"내 아들!"

"와, 듬직하게 생겼는데?!"

"얼굴은 나 닮고 몸은 제 아빠 닮았어."

전직 씨름선수 출신이자 경찰이셨던 아버지.

범인을 쫓다 교통사고로 13살 어린 아내와 갓난아기를
두고 세상을 떠났다.

"그렇게 보인다. 그럼 오늘 하루도 수고해!"

"응! 언니도!"

종혁은 슬그머니 떠나는 송양자의 뒷모습을 가라앉은
눈빛으로 바라봤다.

마음 같아서는 당장 잡아다가 다리라도 분지르고 싶지
만 그럴 수는 없었다.

지금의 그는 지능범죄수사대의 팀장은커녕 경찰조차
아니었다. 일개 학생에 불과한 신분으로 나서 봤자 일만
그르칠 수 있었다.

'아직 시간은 많아.'

송양자는 두 무리로 계를 만들고 무려 5년에 걸쳐 작업

을 했다.

한 사람에 6천만 원, 총 피해액은 무려 30억.

꼬박꼬박 곗돈을 주다가 마지막에 좋은 투자처가 있다며 돈을 끌어모은 후 도망가 버렸다.

신문에도 난 사건이었고, 어머니 고정숙은 평생 안 쓰고 안 입으며 모은 돈을 모두 날려 버렸다.

언제나 당당했던 고정숙은 엄마가 무식해서 미안하다고 사과를 했다.

'그때 내가 뭐라고 말했더라…….'

진짜 무식하다, 왜 이렇게 멍청하냐며 욕을 했다.

'미친 새끼!'

입술을 깨문 종혁은 꼬챙이에 꽂힌 어묵을 넣었다.

그렇게 고정숙이 김밥 쉰 줄을 쌌을 때, 사람들이 한두 명 나타나더니 곧 거리를 가득 채웠다.

우글우글 거리가 깨어나기 시작했다.

"아들, 그만 꽂아. 그거 다 못 팔아."

"응? 아……."

몇 백 개나 되는 어묵이 산처럼 쌓여 있다. 오늘 하루 부지런히 팔아도 다 못 팔 정도다.

"넌 꼭 끝을 봐야 직성이 풀리지?"

"하하."

종혁은 머리를 긁었다.

계급이 높아질수록 더 악착같아졌던 승부욕.

적당히 하면 진급에서 밀리기에 뭐든지 열심히 할 수밖

에 없었다.

노력과 집중력, 승부욕은 그의 삶이었다.

고정숙은 피식 웃었다.

"그런데 아들, 이건 왜 챙긴 거야?"

쿵!

고정숙이 잔멸치볶음이 담긴 큰 반찬 통을 꺼냈다.

어젯밤 종혁이 졸라서 만들고, 새벽에 종혁이 챙기기에 가져오긴 했지만, 솔직히 의문이었다.

"학교에 가져갈 건 아닐 테고……."

종혁은 눈을 빛냈다.

똑같은 오픈 시간, 똑같은 메뉴이기에 언제나 비슷한 매출.

이걸 바꾸려면 신메뉴가 필요했다.

그래서 잔멸치 볶음을 만들어 달라고 한 것이다.

"김밥 안에 넣어 달라고."

"에엑?"

노점상을 확 번창시킬 대단한 요리 같은 것은 모른다.

만드는 방법도 모르고, 맛도 모른다.

하지만 종혁은 형사 생활 26년, 잠복하는 동안 물리다 못해 역겨울 정도로 먹은 김밥에 대해서는 아주 잘 알았다.

"이걸?"

멸치볶음을 김밥 안에 넣는다.

생각해 보지 않은 발상이었다.

과연 맛이 있을지도 의문.

'뭐 반찬으로 먹는다고 생각하면 되겠지.'

그녀는 단순하게 생각하며 다시 김밥을 말았다.

이제부터는 아들이 먹을 거라서 그녀는 더 정성스레 쌌다.

"밥은 조금만 넣고, 나머질 가득 넣어 줘요. 응, 그 정도."

2010년도에 나올 뚱뚱한 김밥 프랜차이즈들.

종혁이 떠올린 건 바로 그것이었다.

서걱서걱!

김밥을 2cm 더 두껍게 썬 그녀가 하나 집어 종혁의 입에 넣었다.

물엿으로 볶아 달달하고 고소하게 부서지는 잔멸치와 가득 넣은 당근 시금치가 맛있게 어우러진다.

대미는 다지듯 잘게 잘라 잔멸치와 함께 볶은 고추의 매운맛이었다. 끝에 알싸하게 남는 매운맛이 혀를 깨우고 피로를 쫓았다.

"역시 우리 여사님 손맛!"

"웃기시네. 겨우 멸치 하나 넣은 게 얼마나 맛있다고. 밥도 조금만 넣었는데…… 응?"

맛을 본 그녀는 눈을 껌뻑였다.

맛있다. 물론 김밥 소를 많이 넣었기에 맛있을 수밖에 없지만, 이건 예상을 훨씬 벗어난 맛이었다.

'이게 뭐라고 이렇게 맛있지?'

그녀는 당황하며 종혁과 김밥을 번갈아 보았다.

종혁은 모른 척 억지로 퉁명스레 말했다.

"김밥 안 싸 줘요? 나도 이제 슬슬 학교 가야 해요."

운동부는 다른 학생들보다 조금 더 일찍 등교한다.

"음, 알았어. 잠시만."

종혁은 김밥을 싸는 어머니를 가만히 지켜보았다.

슥슥.

별로 움직이지도 않는데 금세 김밥 한 줄이 말아지고, 두 줄이 말아진다. 그러더니 순식간에 스무 줄이 말렸다.

'이렇게 빨라지기까지 얼마나 노력하셨을까.'

새삼 깨달은 어머니의 고생이 종혁의 가슴을 두드렸다.

"자! 아들, 이제 가 봐."

"아니야, 조금만 더 도울게요."

"너처럼 덩치 큰 사람 있으면 손님이 겁먹어서 안 와."

고정숙은 장난이었지만 종혁은 시무룩해졌다.

"그거 상처인데."

"등교하세요, 아드님."

토닥토닥 다시 엉덩이를 두드리는 손에 종혁을 결국 천막을 나설 수밖에 없었다.

등교하기는 싫지만 어머니를 죽인 놈을 잡으려면 죽어라 공부를 해야 했다.

"무슨 일 있으면 핸드폰…… 아니, 삐삐 쳐요."

"가 좀! 손님 안 오잖아!"

"쯥."

마지막으로 송양자를 힐끔 본 종혁은 지하철역으로 향

했다.

계단을 내려가며 봉지를 연 종혁은 피식 웃었다.

뚱뚱한 호일 여덟 줄과 비교적 얇은 호일 네 줄.

"마음에 드셨나 보네. 잘 팔아 봐요."

종혁은 썰지 않은 김밥을 베어 물며 다시 계단을 내려
갔다.

한편 고정숙 홀로 남은 천막에 한 사십대 중년인이 고
개를 들이밀었다.

"우리 사장님, 아침부터 미모가 발광하시네."

"오셨어요? 김밥 두 줄이시죠?"

오늘도 두꺼운 철벽에 입맛을 다신 중년인은 다른 김밥
들과 달리 유난히 뚱뚱한 호일을 발견하곤 눈을 빛냈다.

"저걸로 두 개 주세요."

"아, 이건……."

고정숙의 머리가 빠르게 돌아갔다.

"신메뉴라서 한 줄당 천오백 원이에요."

"아니, 김밥이 뭐 그렇게 비싸데?"

한 줄에 천원이었던 원래 김밥보다 비싼 가격.

"안에 멸치볶음을 넣어서 좀 비싸요."

"멸치볶음?"

그는 더 망설였다.

"……에이, 그럼 한 줄만 줘요. 우리 사장님 손맛인데
맛이 없을까."

계산을 치른 중년인은 손목시계로 시간을 확인하곤 얼

른 멸치 김밥을 까서 입에 넣었다.

"음?!"

"어때요? 괜찮아요?"

중년인은 고개를 끄덕였고, 마음이 조마조마했던 고정숙은 화사하게 웃었다.

중년인은 그런 그녀를 멍하니 쳐다봤다.

약간의 시간이 흐른 후 어묵 국물로 입가심한 중년인은 쌍엄지를 치켜들며 역으로 향했고, 고정숙은 콧방귀를 뀌었다.

"사람이 대범하지 못하니 아직도 노총각이지."

빤히 보이는 수작. 웃음도 안 나왔다.

'그래도 맛은 있나 보네.'

고정숙은 이제 11줄 남은 멸치김밥을 빤히 보았다.

"……그래, 일단 며칠 팔아 보고 생각하자."

그녀는 장사하는 사람이었다.

한 푼이라도 더 벌기 위해 악착같이 장사한 그녀.

그런 그녀의 촉이 서고 있었다.

"사장님, 오랜만입니다."

"어서 오세요! 신메뉴 만들어 봤는데 한번 드셔 볼래요?"

고정숙의 하루가 시작되었다.

* * *

아침 7시.

유도 명문 동일고등학교의 아침은 일찍 시작한다. 운동부들 때문이다.

유도부, 야구부, 복싱부.

이 중 유도부가 최고다.

교문을 넘은 종혁은 유도부로 향했다.

따악!

"늦어! 얼른 안 뛰어와?!"

땅을 내려치는 죽도 소리가 울리자 종혁의 눈이 흔들렸다.

유도부 건물 앞에 대장군처럼 서 있는 사십대 중년인.

'신성길 선생님.'

유도부 감독 신성길.

종혁이 오른팔 검지와 팔꿈치 인대가 끊어졌는데도 재활을 하면 된다고 달랬던 은사.

엇나가는 종혁을 때려 패면서까지 바로잡으려 했던 참된 스승.

종혁은 반사적으로 뛰었다.

새벽 공기가 그의 폐로 가득 들어왔다.

"1학년이 빠져 가지고 말이야…… 응? 너 대가리 왜 그래? 붕대는 왜 감았어? 설마 그거 피냐?"

잠시 고민하던 종혁은 사실대로 말했다.

어젠 어머니를 봐야 한다는 일념에 도망을 쳤지만, 주마등이 아니라 현실이었다.

오늘부터 문제가 생길 게 분명했다.

아직은 17살인 자신이 오늘부터 벌일 일을 생각하면 믿을 수 있는 선생의 도움이 필요했다.

따악!

죽도가 종혁의 허벅지를 때렸다.

"에라이! 무제한급 선수라는 놈이 양아치 멸치 새끼들한테 당하기나 하고! 잘하는 짓이다!"

"죄송합니다!"

"그래서…… 몇 바늘이나 꿰맸는데?"

"25바늘 꿰맸습니다."

신성길의 미간이 찌푸려졌다.

"쯧, 당분간 운동은 글렀네. 알았어. 애들한테는 말해놓을 테니까 교실로 가."

종혁은 당황했다. 선배들에게 볼일이 있기 때문이다.

더욱이 지금쯤이면 아침 운동 시작 전 청소를 할 시간.

"아닙니다. 저도 같이……."

따악!

"걸레질하다가 혈압 올라서 꿰맨 데 터지면?"

"……죄송합니다. 그럼 인사만 하고 교실로 가겠습니다."

고개를 숙이고 건물 안으로 들어가니 수십 명의 유도부원이 유도복을 입은 채 녹색 고무바닥을 누비는 게 보였다.

시큼한 땀 냄새가 옛 향수를 자극했다.

"안녕하십니까!"

우르르!

종혁의 인사에 고개를 들었던 유도부원들이 눈이 동그래져서 달려왔다.

"뭐야! 너 대가리 왜 이래!"

"어떤 새끼가 우리 막내 뚱땡이 대가리 깠어?! 누구야?!"

운동부 특성이 이렇다.

만난 지 얼마나 됐든 단 하루라도 같은 부라면 한 식구다.

그렇기에 회귀 전 종혁의 검지와 팔꿈치 인대가 터진 이후 동일고등학교의 일진들이 쓸려 나갔다.

분노한 이들로 인해서 말이다.

종혁은 이번에도 사실대로 말했다.

시간을 벌기 위해선 이들의 도움이 필요했다.

웬만한 사고는 학교 차원에서 다 막아 주는 유도부의, 인간 흉기나 다름없는 유도부원들의 억지력이.

그래서 굳이 인사를 하려고 했던 거다.

'사고 치면 안 돼.'

일진이 몇 명이건 두들겨 패는 건 너무 쉽다.

제 몸 다치는지도 모르고 달려드는 약쟁이나 건달들에 비하면 고딩 일진들은 껌이나 다름없다.

그러나 경찰대나 법대를 가려면 절대 사고를 쳐선 안된다. 특히 폭력 사건은 독약이다.

그렇다면 다른 방법으로 일을 풀어 가야 했다.

종혁의 이야기가 끝나자 선배들의 얼굴이 시뻘겋게 달아올랐다.

3학년들의 얼굴은 험악살벌 그 자체였다.

"김강헌 이 씨발 새끼는 후배 교육을 어떻게 시키는 거야?!"

"하, 요 몇 달 가만 놔뒀더니 또 지랄을 하네. 뭐? 각목?

목검? 좆도 아닌 새끼들이 다구리만 놓으면 단가…….”

유도부 주장, 90kg급 선수 공준호가 종혁의 어깨를 잡았다.

“알았어. 이 문제는 우리가 해결할 테니까 넌 교실로가 있어.”

종혁은 끝났다는 걸 알았다.

“심려 끼쳐 드려서 죄송합니다.”

“잘했는데 왜 죄송해! 어깨 펴, 인마!”

“…….”

“다 나을 때까지 유도부에 나오지 말고 푹 쉬어. 알았냐?”

“예!”

고개를 숙인 종혁은 미소를 지으며 교실로 향했다.

아직은 아무도 없는 교실, 자리에 앉은 종혁은 다시 한 번 계획을 점검했다.

“흠, 일단은 피해자…….”

드르륵!

고개를 돌린 종혁은 눈을 동그랗게 떴다.

그건 문을 열고 들어온 긴 생머리 안경을 쓴 소녀도 마찬가지였다.

어젯밤 종혁이 모르는 집의 담을 넘을 때 만난 소녀.

그렇지 않아도 조용한 교실에 어색한 기류마저 흘렀다.

2장. 학교

학교

"아이고, 같은 반 학생인지 몰랐네. 어젠 미안했어요. 많이 시끄러웠죠?"

종혁은 어색함을 떨치기 위해 먼저 말을 걸었다.

'에이, 이놈의 말버릇.'

민원인을 상대할 일이 많다 보니 생긴 버릇이다.

종혁의 존댓말에 눈이 동그래졌던 소녀 김소영은 고개를 붕붕 저었다.

"아니? 바로 신고해서 금방 괜찮아졌어."

종혁의 눈이 빛났다.

"신고를 했어? 몇 시에? 어떻게?"

"너 그렇게 도망친 이후에 바로. 아, 네가 우리 집 담 넘었다는 건 말 안 했어!"

"에고, 말하지."

'그래야 더 제대로 된 증거가 남았을 텐데.'

1997년, 미래엔 너무 흔한 CCTV나 블랙박스가 아예 없었다.

그래도 112상황실에 증거가 생겼다. 일진들을 날려 버릴 증거가.

'죄를 지었으면 벌을 받아야지.'

형사인 그에겐 너무도 당연한 논리였다.

종혁은 푸근히 웃었다.

"아무튼 잘했어. 무서웠을 텐데 용감하게 행동했네."

종혁은 습관적으로 머리를 쓰다듬었다가 아차 했다.

"아, 미안."

"응, 앞으론 조심해 줘. 그런데 머리는 괜찮아?"

"괜찮아."

"음…… 응."

고개를 끄덕인 소녀, 김소영은 자리로 향했고 종혁은 웃었다.

'애가 당차네.'

자리에 앉은 종혁은 책상 서랍 속에 있는 연습장을 꺼내 방금 전 증거, 아니 신고 내역을 기록했다.

이런 건 잊기 전에 기록해야 했다. 이는 습관이었다.

"그런데 이건 뭔 노트인지……."

국어, 수학, 영어, 낙서 그림 등이 한꺼번에 적혀 있는 연습장. 필기도구도 달랑 모나미 볼펜 한 자루뿐이다.

이 시절에 '공부를 참 안 했구나'라는 부끄러움이 밀려

왔다.

경찰대 혹은 한국대 법대.

그곳에 가려면 지금부터 빡세게 공부해야 했다.

그런 그의 귀로 희미한 노랫소리가 들렸다.

고개를 돌린 종혁의 눈을 사로잡는 게 있었다.

김소영의 귀에 꽂힌 하얀색 이어폰과 책상에 놓인 네모 난 상자.

"마이마이?"

큼지막하게 SONY가 적힌 게 정품 같았다.

"캬-!"

종혁의 머릿속에 하나의 기억이 떠올랐다.

이 시절 제법 부러워했던 마이마이, 워크맨.

그래서인지 20살 때 순경이 되자마자 샀었다. 진짜는 너무 비싸서 가짜로.

남들은 다 CD 플레이어, MP3 플레이어를 들고 다닐 때 그는 마이마이를 들고 다녔다.

그러다 3개월 만에 고장이 나서 버렸지만 말이다.

"역시 잘사는 집이었구만……."

이 시절 마이마이는 중산층 이상 사는 아이들의 전유물이었다.

그 순간 뭔가가 떠오른 그는 소영에게 다가갔다.

"이봐, 학생. 아니, 소영아."

소영이 이어폰을 빼며 의아하게 쳐다보자 종혁은 마이마이를 가리켰다.

"그거 녹음 기능도 있냐?"

종혁의 눈이 빛나기 시작했다.

* * *

쿵!

"학생주임 선생님."

대머리 학생주임 52살의 박강필은 표정이 심상치 않은 신성길에 의아해했다.

"왜 그러십니까, 신 감독?"

"그 양아치들 계속 지켜볼 겁니까?"

"……일진 놈들이요?"

"그래요! 그 양아치 새끼들! 학생주임이나 되면서 그런 놈들 계도할 생각 안 하고 뭐하는 겁니까! 월급 도둑질합니까!"

학생주임의 얼굴이 굳고, 수업을 준비하던 선생들이 기겁했다.

"무슨 일인지 모르겠지만 예의를 지키세요. 선생들 다 있는데 이게 무슨 무례한 짓입니까!"

신성길이 유도부 감독이 아니라 일반 교사였으면 쌍욕이 날아갔을 터였다.

"예의는 지킬 게 지켜졌을 때 챙기는 거고!"

"뭐야?! 너 몇 살이야!"

신성길은 교장을 보았다.

"교장 선생님! 선생님이 저 데려올 때 뭐라고 하셨습니까! 애들 운동시키는 것만 신경 써라. 그 외엔 신경 쓰지 않도록 하겠다. 그러셨잖습니까!"

교장의 낯빛이 굳었다.

"무슨 일입니까?"

"무슨 일이요? 어떤 분이 할 일을 하지 않아서 동일고의 소중한 선수가 다쳤습니다! 머리를 무려 25바늘이나 꿰맸단 말입니다! 내가 그놈을 어떻게 달래서 데려왔는데!"

종혁은 한국엔 흔하지 않은 진짜배기 무제한급 선수다.

살만 뒤룩뒤룩 찌운 게 아니라 근육이 옹골찬 재목이었고, 그 때문에 경쟁이 무척 치열했다.

타고난 신체에 힘으로만 해결하려고 해서 골치가 아프지만, 그건 차차 고쳐 나가면 될 일이었다.

"삥 뜯는 거 말리는데 각목을 휘둘렀답니다! 무려 열 명이! 이게 학생이 할 짓입니까? 나, 이런 놈들 있는 곳에선 감독 못 합니다! 차라리 애들 다 데리고 딴 학교 가고 말지!"

매해 전국 대회 우승 메달을 한 개 이상씩은 따는 명장, 신성길.

교장은 다급해질 수밖에 없었다.

"아이고, 신 감독. 잠깐 이야기 좀 합시다."

그는 신성길의 팔을 잡으며 학생주임을 노려봤다.

"교문이든 개구멍이든 1교시 수업 시작하기 전에 그놈들 싹 다 잡으세요. 알겠습니까?"

학생주임의 얼굴이 일그러졌다.

"예."

'이 개자식들!'

학생주임은 이를 뿌득뿌득 갈았다.

한편 유도부 주장은 일진 대장인 김강헌에게 연락했다.

"야, 이 개새끼야! 내가 작작 나대랬지. 진짜 전쟁 한번 할까? 저번처럼 입원해 볼래? 어?!"

학교를 제 세상처럼 휘젓고 다니던 일진 무리에 횡액이 들이닥치는 순간이었다.

* * *

"좋아, 완벽해."

계획에 빈틈이 없다. 26년 형사 생활 짬밥을 걸 수 있을 정도다.

그렇게 공책을 덮을 때였다.

"담탱이 떴다!"

우당탕!

학생들은 자리에 앉았고, 종혁도 자세를 바로 했다.

드르륵! 쿵!

"자, 자! 얼른 앉아!"

8시 55분.

평소보다 늦게 교실 앞문을 열고 들어온 담임은 종혁을 보고 혀를 찼고, 종혁은 의아했다.

"차렷! 경례!"

"안녕하세요!"

"그래, 안녕하다. 내일 쪽지 시험 있는 거 알지?"

"아아아!"

종혁의 눈도 크게 떠졌다.

"아, 그랬지. 참."

동일고등학교는 유도 명문임과 동시에 공부로도 제법 유명한 학교다.

그래서인지 2주마다 한 번씩 쪽지 시험을 치른다.

그 때문에 유도부를 그만둔 이후 꽤 골치가 아팠다.

유도 선수가 아닌 최종혁은 그저 일개 학생이었고, 학생은 성적이 전부였다.

그래서 방황을 관둔 19살부터 머리 터지게 공부했는데, 그때 한 가지 사실을 알게 됐다.

자신의 머리가 굉장히 좋다는 걸 말이다. 그렇지 않다면 순경 출신이 고작 48살에 경정을 달 수 있을 리 없었다.

일반적으로 순경 출신의 한계는 경위인데, 그것도 퇴직 전 예우 차원에서 달아 주는 거다.

정말 빼어났던 두뇌.

그랬음에도 그가 경정밖에 못 올라간 건 라이벌이 경찰

대 출신 간부들이었기 때문이다.

종혁이 10의 실적을 올려도 고작 2, 3의 실적으로 진급하는 경찰대 출신 간부들.

회귀 전에는 먹고살기 위해 급한 대로 순경을 지원했지만, 뒤늦게 재수를 하더라도 경찰대에 갈 걸 그랬다며 자책하곤 했다.

같은 후회를 반복할 생각은 없었다.

"오늘 수업 잘 듣고, 졸지 말고! 반장!"

"차렷! 경례!"

"안녕히 가세요!"

종혁은 이쪽을 힐끔 보곤 나가는 담임의 모습에 미간을 좁혔다.

"아무런 말을 안 하네?"

반 학생이 머리에 붕대를 감고 있는데 아무런 말 한마디 없다. 아무래도 의아할 수밖에 없었다.

고개를 갸웃하던 종혁은 이내 자신을 보고 혀를 차던 담임의 모습을 떠올렸다.

"설마 일진 새끼들과 같은 취급을 받는…… 그럴 수 있겠네."

운동부는 무식하고 다혈질이란 이미지를 가진다.

굉장히 억울한 굴레지만, 적어도 동일고에서는 무식하다는 건 팩트다.

운동부 중엔 제 이름 석 자를 한자나 영어로 쓰지 못하는 놈들이 부지기수다.

더욱이 중학교 때부터 일진들과 마찰을 자주 일으켰다.

불의를 참지 못했기 때문이지만, 그런 일이 반복되다 보니 결국 똑같은 부류가 되어 버린 것이다.

그렇다면 오늘 일도 그저 똑같은 놈이 맞았다고 징징거린 걸로 받아들일 수 있었다.

"쓰읍, 밑바닥부터 바꿔야겠네."

이런 이미지를 가진 채 전교 1등을 한다?

무조건 커닝 의혹이 생긴다. 옆에서 드르렁 코를 골며 자고 있는 짝꿍도 믿지 않을 이야기.

그땐 신성길 감독도 보호해 주지 못할 수 있다.

재시험을 쳐서 의혹이 해소된다고 해도 감시의 시선은 계속 붙을 터였다.

종혁은 앞으로 한 달 반, 총 세 번의 쪽지 시험을 통해 이미지부터 바꿔야겠다고 생각했다.

'일단은 머리 좋은 운동부원이다.'

학생의 본분은 결국 공부다. 공부만 잘하면 뭐든지 용서가 된다.

이 시절이면 더더욱 그랬다.

공부를 잘하는데 양아치일 리가 없다는 편견.

아직은 공부와 인성을 따로 구분하지 못하는 시기다.

'그러면 전교 1등을 목표로 해 볼까.'

종혁은 학교생활에 대한 계획을 세워 갔다.

드륵! 쾅!

바지통을 줄인 소년 둘이 어기적거리며 들어왔다.

허벅지가 붉다 못해 검게 물든 둘.

반 아이들은 모두 입을 다물었다.

시발시발거리다 종혁을 발견한 둘은 이를 갈았다.

"비겁한 새끼, 몇 대 맞았다고 선생하고 선배들한테 일러?"

'아하.'

종혁은 그제야 상황을 파악했다.

신성길 감독이 교무실을 뒤집어서 선생들이 움직인 것 같았다.

'빠른데?'

"겁쟁이 새끼."

종혁은 어이가 없었다.

"비겁하고 겁쟁이인 건 한 놈 패는 데 우르르 몰려온 너희들이고. 여기 안 보여? 너희들 사람 죽일 뻔했어, 알아?"

"그냥 차라리 뒈져 버리지 그랬냐."

종혁은 눈을 껌뻑였다.

'이 새끼들 구제 불능이네?'

그렇다면 학생으로 대접해 줄 필요가 없었다.

종혁은 그의 멱살을 잡아당겼다.

"흑?!"

"어이."

오싹.

순간 일진들의 등골을 타고 소름이 내달렸다.

얼음장같이 차가운 눈동자.

그 눈빛과 마주한 순간, 마치 사자 우리에 갇힌 것처럼 숨이 턱 막혔다.

"내가 그렇게 안 일렀으면 어떻게 됐을 것 같냐? 내가 정말 너희 새끼들이 무서워서 이렇게 한 것 같아? 어?"

……꿀꺽!

종혁은 사시나무처럼 흔들리는 눈동자에 끓어올랐던 열이 팍 식는 걸 느꼈다.

'에휴, 고삐리 데리고 뭐 하는 짓인지.'

종혁은 멱살을 풀며 밀쳤다.

"윽!"

"너희들이 비겁한 짓을 해서 처맞은 거 가지고 화풀이하지 마라. 확 접어 버릴 수 있으니까."

일진들은 억울했지만 반박할 수가 없었다. 사실이었고, 그 때문에 맞았으니까.

그리고 점심시간엔 3학년 일진들에게도 맞아야 했다. 선생한테 맞은 것도 맞은 거지만, 유도부와 전쟁이 날 뻔했다고.

이를 갈던 선배들과 방금 전 종혁의 눈빛을 떠올린 그들의 눈에 눈물이 고였다.

"……시발놈."

그들은 몸을 돌렸고, 픗 웃은 종혁은 그 등에 대고 크게 외쳤다.

"마지막으로 경고하는데, 한 번만 더 애들 삥 뜯고 때리면 진짜 죽는다!"

'그리고 이게 끝이라고 생각하지 마라!'

겨우 여기서 끝내기엔 그동안 당한 아이들이 너무 많았다.

쾅!

"뭘 봐, 씨발!"

책상을 걷어찬 일진들이 나가자 종혁은 코웃음을 쳤다.

약자에게만 강한 양아치.

화를 낼 가치도 없는 놈들이었다. 이런 놈들이 공포의 대상이 되는 게 우스울 뿐이었다.

'응?'

종혁을 선망의 눈으로 바라보던 학생들은 재빨리 시선을 돌렸고, 교실은 곧 시끄러워졌다.

꽤 가벼워진 교실 분위기에 피식 웃은 종혁은 이내 1교시 교과서를 꺼내어 처음부터 읽기 시작했다.

'그래, 너희들도 이제부터 어깨 펴고 살아…….'

"음?"

책을 읽던 종혁은 고개를 모로 기울였다.

"쉬운데?"

뭔가 쉬웠다.

이해도 빨리 됐고, 심지어 외워지기까지 했다.

"……진짜 쉬운데?"

1997년 이 당시는 21세기와 비교하면 교육의 질이 떨어진다지만 이건 뭔가 이상했다.

'뇌는 십대에 가장 쌩쌩하다더니!'

"씨부럴, 담배 조금만 필걸."

선수 생활이 끝나면서 배우기 시작한 담배.

한 달도 안 되어 하루에 3갑씩 폈다.

"그러니까 뇌를 니코틴으로 절여 놨는데도, 하자가 생긴 대가리로도 그 지랄 맞은 진급 시험을 한 번에 통과했단 말이지?"

경찰대와 한국대 법대가 코앞까지 다가온 느낌이었다.

헛웃음을 터트린 종혁은 눈을 빛냈고, 김소영은 그런 종혁을 빤히 응시했다.

* * *

'잠을 안 자네?'

안 자는 대신 멍 때리는 게 아니라 이글이글 타오르는 눈으로 필기를 하고 있다.

눈 한 번 깜빡이면 큰일이라도 나는 듯 집중하는 게 훤히 보였다.

소름이 돋을 만큼 열정적인 모습.

허리도 꼿꼿이 세운 바른 자세였다.

신성길 감독이 아침부터 교무실을 뒤집어 놓기에 얼마나 대단한 놈인가 싶었는데, 운동부임에도 공부를 할 줄 아는 성실한 학생이었다.

'전에는 잤던 것 같은데…… 운동이 고되어서 그랬나?'

차라리 자는 게 나은 일진과 운동부.

굳어 버린 편견에 금이 가기 시작했다.

매일같이 자던 종혁이 집중해서 그런지 다른 학생들도 덩달아 수업에 집중하는 것 같았다.

'허.'

선생들은 그 변화가 썩 기껍게 다가왔다.

'이 일진 놈의 쉐키들.'

이렇게 성실한 학생을 다치게 한 일진들이 더 싫어지는 순간이었다.

반면 종혁은 너무 쉽게 이해되는 수업에 전율을 느꼈다.

'아무리 복습하는 것에 가깝다지만! 이건 된다!'

경찰대와 한국대 법대가 정말 코앞까지 다가왔다.

그렇게 찾아온 점심시간.

1교시부터 4교시까지 반 학생들을 살핀 종혁이 움직였다.

"박수호?"

종혁은 쪼그려 앉아 시선을 마주쳤다.

"어? 으응."

작은 키, 왜소한 체구의 소년은 딱딱하게 굳었다.

도시락을 꺼내 들던 학생들이 멈추며 둘을 쳐다봤다.

"혹시 내일 있을 쪽지 시험 범위 좀 알려 줄 수 있을까? 노트도 빌려 주면 떡볶이랑 튀김 사 줄게."

"……응?"

일진들보다는 덜 무섭지만, 그래도 함부로 대할 수 없는 종혁이 이름을 부르자 겁을 먹었던 박수호는 눈을 껌뻑였다.

그건 지켜보던 다른 학생들도 마찬가지였다.

'시험 범위?'

'쟤가 공부를?'

'아까 쉬는 시간에도 공부하긴 했는데…….'

예수님이 불경을 읊는 것만큼 경악스러운 일이었다.

하지만 그것도 잠시였다.

박수호는 군침을 삼켰다.

돌아서면 배고플 나이. 잠깐 가르쳐 주고 떡볶이와 튀김을 얻는다면 엄청 남는 장사였다.

거기다 종혁은 삥을 뜯기는 아이들을 위해서 나섰다가 다쳤기에 그렇게 무섭지도 않았다.

솔직히 친해지고 싶었다.

"알겠……."

"나!"

아이들의 시선이 김소영에게로 향했다.

"내가 알려 줄게!"

왜인지 그녀의 눈빛이 초롱초롱했다.

종혁은 미심쩍은 눈으로 소영을 보았다.

단순히 떡볶이와 튀김 때문이 아닌 느낌. 형사의 촉이 그렇게 말하고 있었다.

"네가? 몇 등인데?"

"나 20등!"

종혁은 다시 박수호를 보았다.

"떡볶이, 튀김 말고 순대랑 김밥도……."

"전교에서 20등이거든! 반에선 2등!"

"……맞아?"

"으응. 소영이 쟤가 우리 반 2등이야. 난 반에서 25등이고."

그건 몰랐다.

쉬는 시간 무리를 이룬 다른 아이들과 다르게 오직 혼자만 있던 박수호.

아이들이 배척한다는 건 일진에게 찍혔다는 것.

43명이 있는 이 반에 그런 학생이 박수호 말고도 2명 더 있었다.

종혁이 벌일 일에 필요한 아이들.

그래서 접근했는데, 상황이 재밌게 돌아가고 있었다.

'여자라…….'

동성으로서 혹은 누나나 엄마 포지션으로 여성과 왕따 학생들의 입을 열게 만드는 존재가 여경이다.

종혁의 입꼬리가 살짝 올라갔다.

"너무 똑똑하면 좀 부담스러운데……."

소영의 눈썹이 꿈틀거렸다.

"떡볶이랑 튀김 2인분씩만 사 주면 예상 문제도 알려 줄게!"

이번엔 박수호의 눈썹이 꿈틀거렸다.

종혁과 친해질 기회가 왔는데 허망하게 날아가게 생겼다.

그는 처음으로 용기를 냈다.

"나, 난 떡볶이랑 튀김 1인분이면 돼. 다 알려 줄 수 있어!"

빠직!

"이 씨! 겨우 25등이 잘 가르쳐 줄 수 있어?!"

"이, 있어! 그리고 지금 종혁이에게 필요한 건 비슷한 눈높이에서 기초를 잘 가르쳐 줄 수 있는 사람이 아, 아닐까?"

"아오! ……좋아! 그럼 떡볶이 1인분!"

"음료수 하나!"

"야!"

"포기해! 내가 친구 될 거야!"

종혁은 주먹까지 쥔 둘의 모습에 터지려는 웃음을 겨우 참았다.

'하이고, 귀여운 것들. 파릇파릇하구만?'

"알았어. 둘 다 원하는 만큼 사 줄 테니까 나 좀 제대로 가르쳐 줘. 수호 넌 기초를, 소영이는 예상 문제를. 오케이?"

둘은 불만스러운 표정을 지으면서도 고개를 끄덕였다.

자존심을 굽히지 않기에 떡볶이와 튀김의 위력이 니무 컸다.

"좋아, 그럼 학교 앞 분식집으로 가자!"

* * *

아직은 급식이 시행되지 않은 시기.

학교 앞 분식점과 컵라면을 파는 문방구는 학생들로 가득했다.

운 좋게 바로 난 빈자리에 앉은 셋은 주문을 했다.

"김밥, 떡볶이, 튀김, 어묵 3인분씩 주세요!"

김소영과 박수호의 얼굴은 확 밝아졌다.

학생은 언제나 주머니가 가벼운 법이다.

"그래, 잠깐만 기다려!"

종혁은 둘을 봤다.

"일단 가볍게 먹고, 부족하면 더 시키자."

"응!"

쇠를 씹어 먹어도 돌아서면 배고플 나이.

김소영과 박수호의 입안에 한가득 침이 고였다.

"맞아, 쪽지 시험 범위는……."

진지해진 박수호가 챙겨 온 연습장을 하나 내밀었고, 종혁과 소영은 눈을 끔뻑였다.

"그걸 챙겨 왔어?"

"응, 일단 국어만. 김소영, 너는?"

"내 자리에. 밥 다 먹고 공부하면 되잖아, 이 멍충아."

"어?"

박수호의 얼굴이 새빨개졌다.

'의욕이 넘치네.'

잘된 일이었다.

종혁은 박수호를 두둔했다.

"밥 먹기 전에도 하면 되지. 고맙다, 수호야."

"응! 일단 시험 범위는……."

환하게 웃은 박수호는 시험 범위에 관해 설명했고, 김소영은 입술을 내밀었다.

팔짱을 끼며 한껏 삐졌다는 걸 표현하던 김소영은 아무도 신경 쓰지 않자 미간을 좁혔다.

'칫!'

그제야 이 자리가 정말 공부하는 자리라는 걸 상기한 그녀는 종혁을 힐끔 보곤 입술을 깨물었다.

"야, 그건 그렇게 설명하는 거 아니거든?"

"어, 그래?"

"줘 봐!"

그때부터 공부는 김소영이 주도했다.

'호? 쉽게 설명하는데?'

의외로 재능이 있었다.

종혁과 박수호는 곧 그녀의 설명에 빠져들었고, 소영은 곧장 이해하고 질문하는 종혁의 모습에 놀람을 감추지 못했다.

'머리가 좋구나.'

그녀는 괜스레 기분이 좋아졌다.

"아이고, 여기까지 와서 공부해? 모범생들이네! 일단 이것부터 먹고 있어. 나머지도 곧 줄게."

떡볶이와 어묵 냄새가 한가득 풍기자 공부 분위기는 흐트러졌다.

종혁은 공책과 분식을 빠르게 오가는 둘의 눈에 피식 웃었다.

"먹자."

"응? 아, 아니 일단은 좀 더……."

"금강산도 식후경이라고, 먹고 공부하면 되지."

갈등하던 김소영과 박수호는 이내 슬그머니 공책을 치웠다.

"그, 그럴까?"

"잘 먹겠습니다! 잘 먹을게!"

"그래, 많이 먹어라."

종혁은 전투적으로 포크를 드는 둘을 흐뭇하게 바라봤다. 뭐든 잘 먹으면 예뻐 보이는 법이었다.

그렇게 분식 12인분에 라면 3개, 떡볶이 3인분을 더 추가한 그들은 배를 통통 치며 분식집을 나섰다.

'햐. 이게 부족하네.'

겨우 반절이나 찼을까.

위의 3분의 2를 도려내면서 밥을 반 공기 이상 못 먹던 회귀 전에는 꿈도 꿀 수 없던 일이었다.

아르바이트를 해야겠다는 생각이 든 종혁은 밝아진 박수호의 얼굴을 보곤 눈을 빛냈다.

밥을 먹이며 긴장을 풀었으니 이제 용무를 봐야 했다.

"커피 마실 건데, 너희도 마실래?"

"아, 나는……."

무슨 일인지 김소영의 눈동자가 흔들렸다.

"커, 커피? 학생이 그런 거 마셔도 돼?"

종혁과 김소영은 박수호를 멍하니 보았다.

박수호의 얼굴이 다시 붉어졌다.

"아니, 엄마가 그런 건 대학 가서 마시라고 해서……
키 안 큰다고."

'허, 그걸 정말 믿는…….'

"뭐? 커피 마시면 키 안 커?"

종혁의 고개가 돌아갔다.

"역시 안 마시길 잘했어! 난 엄마가 커피 마시면 새벽
4시에 잔다고 해서 안 마셨거든!"

종혁은 푸근히 웃었다.

참 순진했다. 아무리 대중 매체 발달이 부족한 시기라
지만, 이렇게까지 순진할 줄 몰랐기에 당황스러웠다.

'애들아, 커피 좀 마신다고 잠 못 자고 키 안 크는 거
아니란다.'

그래도 이게 옛날의 맛이었다.

아직까진 많은 게 순박했던 시절.

기분이 좋아진 종혁은 둘의 등을 두드렸다.

"그럼 너희는 코코아 마셔."

"좋아!"

둘의 눈이 다시 초롱초롱해졌다.

문방구 옆 커피 자판기에서 커피와 코코아를 뽑은 종혁은 산책을 가자며 학교 정문에서 멀찍이 떨어졌다.

학교, 박수호에겐 악몽일 장소에서 멀어져야 했다.

곧 학생들이 만들던 소음은 사라졌고, 셋의 얼굴은 달달함에 느슨하게 풀어졌다.

종혁은 경계가 완전히 풀린 박수호를 보았다.

"일진들 때문에 많이 힘들었지?"

움찔!

김소영을 본 박수호는 고민하다가 고개를 끄덕였다.

떠올리기만 해도 무서운지 창백해진 그의 얼굴에 종혁은 등을 두드렸다.

"이젠 걱정하지 않아도 돼. 더 이상 난리 치지 못할 테니까."

숙인 고개를 번쩍 든 박수호가 종혁을 보았다.

그의 눈이 흔들렸다.

믿고 싶지만, 믿을 수가 없는 일.

세상에서 가장 무서운 존재가 일진이기에 박수호는 믿을 수 없었다.

"하, 하지만……."

박수호는 알고 있다.

지금은 잠잠하다고 해도 분명 어느 정도 시간이 흐르면 다시 활개를 칠 걸 말이다.

"걱정 마. 내가 싹 다 고소해 버릴 거니까."

"고소?"

눈이 동그래진 둘은 붕대 감은 머리를 가리키는 종혁을 멍하니 보았다.

"잘 빠져나가도 미필적 고의에 의한 살인 미수와 집단 폭행. 판사가 누가 되든 무조건 기본 5년이야."

'문제는 거지 같은 소년법인데…….'

종혁은 미간을 찌푸렸고, 둘은 전문적인 말에 정신을 차릴 수 없었다.

"5년?"

"주동자 두셋은 확정이지. 나머지 따까리는 한 1년 받으려나? 뭐 반년 받아도 무조건 퇴학이지."

박수호의 두 눈이 파르르 떨렸다.

그는 명치를 움켜쥐었다.

"저, 정말? 정말 걔들 다시 안 봐? 안 봐도 되는 거야?"

울상이 된 그의 모습에 김소영의 얼굴이 일그러졌다. 박수호가 아파하는 모습이 마음을 찔렀기 때문이다.

그녀는 자신도 모르게 박수호의 팔을 쓸어내리며 위로했다.

종혁은 그 위로에 눈에 힘주는 박수호를 보며 속으로 고개를 끄덕였다.

슬픔에 공감하고 위로해 주는 모습. 이걸 위해 그녀를 데려온 것이다.

종혁은 미소를 지었다.

"왜? 안 믿겨? 걔들이 너무 쉽게 처리되는 것 같아서?"

……끄덕.

"걔, 걔들도 우리도 학생이잖아. 선생님들이, 어른들이 상대해 줄까?"

불신이 너무도 강렬했지만, 종혁은 도리어 기뻐했다. 박수호는 방금 일진의 그림자를 한 꺼풀 벗었기 때문이다.

질문에 대한 확답만 있다면 무엇이든 하려는 모습.

교실에서 움츠리고 기척에 놀라던 모습과 비교하면 장족의 발전이다.

모두 아픔을 공감해 주는 사람이 있어서다.

그러나 입맛은 썼다.

'지랄 맞다, 지랄 맞아. 선생이란 작자들이.'

이맘때, 그리고 이 이후에도 학교 폭력은 쉬쉬하는 일이다.

박수호의 불신도 바로 여기서 비롯된 것이다.

피해자에게 화해를 종용시키는 선생들.

고작 몇 대 맞은 걸로 유난을 떤다고 생각하는 어른들.

그리고 그 때문에 더 잔인해지는 일진들.

형사인 종혁은 그런 걸 용납할 수 없었다.

"믿어. 죄를 지었으면 벌을 받는 게 당연하니까!"

박수호는 종혁의 진지하고 당당한 모습에 허탈해졌다.

'정말 그런다고? 이렇게 쉽게?'

중학교 2학년 때부터 시작된 악몽.

매일 아침 발을 떼지 못하게 만들던 악마들.

억지로 아르바이트를 하게 만들었던 악마들.

그게 고작 경찰서에 신고하는 것만으로도 사라진다.

'나 왜 힘들었던 거야? 나 왜 무서워했던 거야?'

결국 박수호의 두 눈에서 눈물이 또르륵 흘러내렸다.

"수호야……."

김소영의 눈시울이 붉어지자 종혁의 표정은 짓궂어졌다.

지금이었다.

"그런데 걔들을 더 엿 먹일 방법이 있다?"

"……어떻게?!"

종혁은 방법을 설명했고, 둘의 눈은 동그래졌다.

"정말? 그게 가능해?"

"무조건 가능하지. 그런데 그러려면 수호 네 도움이 좀 필요해."

움찔!

"내 도움? 내가 도움이 돼?"

"응, 아주 많이. 도와줄래?"

'내가 도움을…… 최종혁한테 도움을……? 내가?'

두근!

심장이 크게 뛰었다.

"응! 내가 뭘 도우면 돼?!"

종혁의 입이 주욱 찢어졌다.

"너 여태까지 돈 얼마나 뜯겼어?"

"……어?"

박수호와 김소영은 그 질문의 뜻을 이해하지 못했다.

* * *

웅성웅성.

변변한 파티션조차 없이 책상과 볼록한 모니터들이 놓인 사무실.

수많은 사람이 컴퓨터를 두드리고, 전화를 걸거나 받는다.

난잡하게 어지럽혀진 다른 책상들과 달리 유독 깔끔한 책상에 앉아 키보드를 두드리던 삼십대 초반의 사내에게 누군가 다가섰다.

"영일 선배! 선배한테 퀵 왔는데요?"

"나한테?"

후배의 손에 들린 노란 대봉투에 뭔가를 눈치챈 박영일의 눈이 커졌다.

"얼른 내놔!"

뺏듯이 가져온 대봉투를 뜯어 뒤집은 그는 스르륵 떨어지는 공테이프에 환하게 웃었다.

"역시!"

그는 얼른 안에 있는 편지지도 꺼내 들었다.

〈친애하는 박영일 기자님, 저는 동일고등학교에 다니는…….〉

"아, 고등학교."

흥이 팍 죽었던 사회부 기자 박영일은 이내 이어지는 내용에 자세를 바로 한 것도 모자라 씹어 먹을 듯 읽어 내렸다.

갑자기 흥흥해진 그의 모습에 주위 기자들이 의아해했다.

마지막까지 읽고 테이프의 내용도 들은 그는 벌떡 일어나 부장에게로 향했다.

"부장님, 이것 좀 읽어 보십시오."

"뭔데?"

넘겨받은 편지를 읽던 부장의 얼굴이 일그러졌다.

"야, 이거 그냥 애들 패싸움 이야기잖아. 내 짬밥에 이런 것도 읽어야 해?"

"계속 읽기나 하세요."

"……너 다 읽고 보자."

그들은 기자다. 단 1퍼센트의 확신만 있다면 몇 날 며칠이고 매달리는.

심드렁해진 모습으로 편지를 읽어 가던 부장은 이내 곧 자세를 바로 했다. 그리고 마지막까지 다 읽은 그는 미간을 좁히며 박영일을 보았다.

"야, 애들 코 묻은 돈 뺏기는 게 이렇게 규모가 컸냐?"

편지 내용에 따르면 총 14반이 있고, 한 반당 3명 이상이 한 달에 최소 10만 원을 내고 있었다.

최소로 계산해도 1년이면 5천만 원 이상이다.

5천만 원, 연식이 제법 된 아파트 한 채 값이다.

"1년이 아니라 3년으로 계산해 보세요! 거기다 일일 카페라든지, 여자친구 생일이라든지로 갈취하고! 이 개새끼들은 그냥 양아치가 아니라 조폭 새끼들입니다! 여기 피해 학생이 진술한 녹음도 있어요!"

"허, 그래. 맞는 말이네. 이 새끼들은 학생이 아니라…… 잠깐, 학생? 청소년?"

순간 뭔가를 떠올린 박영일과 부장의 두 눈이 불똥이 튀었다.

"야, 소년법인지 지랄인지에 대해 어떻게 생각하냐?"

"당연히 싫죠. 안 그래도 말 많잖습니까."

"그렇지?"

오토바이 타고 몰려다니고, 패싸움하고.

담배 피고 삥 뜯고, 가출해서 사고 치고.

그런 애들을 왜 보호하냐며 말이 많았지만, 법은 바뀌지 않았다.

박영일과 부장도 그런 애들을 왜 보호하려는지 이해할 수 없었다.

톡톡톡.

검지로 책상을 두드리던 부장이 박영일을 보았다.

그의 눈이 가늘게 떠졌다.

"하나 묻자. 너 이거 단독으로 갈 거지?"

단순 장난으로 치기에는 편지의 문장이 무척이나 깔끔하고 정갈하며, 이해하기 쉽게 써 있다.

그동안 당한 고통이 절절하게 전해져 온다.

사실 확인을 하지 않아도 이건 무조건 진실이다. 부장은 25년 기자 짬밥을 걸고 내기할 수 있었다.

"……싹 돌려서 판 키우자고요? 저 윗집 압박하시게?"

"에이, 압박은. 내가 그런 깜냥이나 되나. 하지만…… 충고 정도는 할 수 있겠지. 오래된 다리는 보수를 해야 된다는 충고 정도는."

'청소년 보호법이라는 쓸데없는 걸 만들 시간에 있는 다리부터 제대로 보수하라는 충고는.'

박영일의 눈빛이 돌연 차가워졌다.

"그 기사 제 겁니다."

"야, 내가 후배 기사 뺏는 그런 개새끼로 보이냐?"

"……."

"……사장님한테 사바사바는 좀 하자. 나 요새 힘들어."

"오케이, 그럼 전 기사 쓰러 갑니다."

"최대한 맛깔나게 써! 믿는다!"

크게 외친 부장은 전화기를 들어 다른 신문사로 전화를 걸었다.

"팽 부장, 난데. 너 학교 폭력 어떻게 생각하냐?"

―……동일고?

"씨부럴, 끊는다."

전화를 끊은 부장은 다시 외쳤다.

"영일아! 빨리 써! 오늘 석간 1면에 넣을 테니까!"

"옙!"

부장은 벌떡 일어나 편집장에게로 달렸다. 2시간 후면 나갈 석간 1면을 빼려면 그의 힘이 필요했다.

그렇게 대한민국 신문사들이 바빠지기 시작했고, 그걸 아는지 모르는지 종혁은 다 쓰고 남은 공테이프를 만지며 씁쓸히 웃었다.

'수호만으로도 충분할 줄이야.'

박수호가 중2 때부터 지금까지 뺏긴 돈만 300만 원이 넘었다.

당연히 학생의 용돈으로 해결될 수준이 아니었고, 부모님 몰래 알바를 해서 이 돈을 충당했다고 한다.

전단지 알바, 주유소 알바 등.

다른 아이들도 사정이 다르지 않았다.

다 그런 식으로 돈을 만들었고, 놈들은 그렇게 피해자들이 힘들게 번 돈을 아무렇게 않게 강탈하고 있었다.

이건 절도나 갈취 수준이 아니라 강도였다.

그 피해 규모를 기준으로 전체 예상 피해 규모를 산정하니 조폭이 따로 없는 수준.

그래서 다른 진술을 더 모으지 않고 바로 아는 기자…… 아니, 형사 시절 알았던 기자들에게 토스했다.

'그냥 고소장을 제출하면 바로 묻힐 테니까.'

고작 학생들 사건이다. 수없이 터지는 강력 사건에 비하면 상대적으로 급이 떨어진다.

조사조차 제대로 하지 않을 게 분명했고, 2차 피해가 생길 터였다.

그렇다면 강력 사건으로 만들면 된다.

판을 키워 버리면 된다는 뜻이다.

'원래 학교 폭력은 이런 수준이지.'

떼어 놓고 보면 그리 크지 않게 느껴지지만, 합쳐 놓으면 경악스러운.

어른들이 신경 쓰지 않을 뿐이다.

'아주 난리가 나겠네.'

그렇지 않아도 비행청소년 문제가 나날이 심각해지는 시기다. 왜 이런 놈들 따위를 보호하는 거냐며 소년법에 대한 말도 많았다.

그러나 정부는 묵묵부답.

소년법을 개정할 의지가 없었다.

그건 미래도 마찬가지다. 아니, 더 심해진다.

여기에 올 3월에 청소년 보호법이 제정됐다.

청소년이 유해한 장소나 담배 등 유해약물 따위를 하지 못하게 막는 법안.

그렇지 않아도 소년법을 믿고 난리를 치는 비행청소년들이 많은 상황에서 고작 만화방 따위나 담배를 못하게 막는다고 그들의 비행이 막을 수 있을까.

의미가 없었다.

탁상 행정이라고 성토하는 사람이 많았다.

그런데 이런 큰 학교 폭력 사태가 뜬다?

이건 무조건 이슈다.

형사 시절 압력을 받을 때 애용하던 방법이었기에 확신

할 수 있었다.

"흐, 이건 국개의원이라도 못 막지."

막기는커녕 특별팀이 꾸려질 수도 있었다.

찰싹!

종혁은 팔뚝을 때린 김소영을 멍하니 보았다.

"뭐해? 공부 안 해? 그래서 내일 좋은 점수 받을 수 있겠어? 야, 박수호! 학교에서 자지 마! 저녁 먹으니까 졸리냐!"

"습! 아, 안 잤거든!"

"잤잖아! 이 멍충아!"

"멍충이라고 하지 마! 이게 여자라고 봐주니까!"

"때려 봐! 때려 봐!"

순식간에 개판이 된 분위기에 종혁은 흐뭇하게 웃었다.

'그래, 내일 일은 내일 일이지! 공부하자!'

내일 있을 쪽지 시험이 잘될지는 모르지만, 공부해서 남 주는 게 아니었다.

아니, 종혁은 지금 공부가 무척 필요했다.

그리고 다음 날, 동일고등학교가 뒤집혔다.

* * *

〈……또한, 피해자의 신원 노출로 인한 2차 피해를 막기를 바란다. 기자 박영일〉

"캬, 이 양반 이때도 명필이었네."

어젯밤의 석간, 그리고 오늘의 조간.

메이저 신문사 전체가 1면 기사로 두 차례나 때렸다. 그것도 종혁 본인이 편지에 쓴 2차 피해를 막자는 글귀까지 넣어서.

경찰들의 미숙한 대처로 언제나 2차 피해가 발생하는 학교 폭력 사건.

이로써 안전장치도 마련이 되었다.

"역시 믿을 만한 양반들이라니까."

녹음 파일이 있으니까 이렇게 빠르다.

모두 김소영과 박수호 덕분이었다. 정확히는 김소영의 워크맨과 박수호의 거듭된 진술 덕분.

두꺼운 책가방을 고쳐 멘 종혁은 지하철 신문 가판대에 모인 사람들을 보았다.

"쯧쯧. 말세다, 말세. 애새끼들이 하라는 공부는 안 하고."

"이 쳐 죽일 새끼들! 3년에 2억이 뉘 집 개 이름이냐!"

"후우, 우리 아들도 돈을 뺏겼으려나."

"애들 일이라고 무시할 게 아니었네."

신문 가판대뿐만이 아니다. 옆에 있는 공중전화 박스에서도 난리가 나고 있었다.

"여보! 정욱이한테 돈 뺏긴 적 있냐고 물어봐. 아, 그냥 물어봐!"

씩 웃은 종혁은 신문으로 어깨를 툭툭 치며 학교로 향했다.

새벽의 서늘한 공기가 그의 기분을 더욱 좋게 했다.

"호오?"

아침 7시.

쪽문만 겨우 열어 놓는 시간임에도 활짝 열린 교문 뒤에 선생들이 서 있다. 교문 앞에도 웬 사람들이 서 있다.

목에 카메라를 걸고 있는 사람들.

그중엔 종혁이 아는 얼굴들도 있었다.

대번에 상황을 파악한 종혁은 의뭉스레 웃었다.

'어이쿠, 빠르기도 하셔라.'

"어? 저 학생, 머리에?"

붕대를 감고 있다. 신문사로 날아온 편지에 있는 피해 내용 중 하나와 굉장히 흡사하다.

눈을 번쩍 뜬 기자들이 물고 있던 담배를 던지며 몸을 날렸고, 그제야 종혁을 발견한 선생들도 질겁하며 달려왔다.

"이봐요, 학생!"

"막아―!"

먼저 도착한 선생들은 종혁을 감싸며 등을 떠밀었다.

"얼른 들어가! 얼른!"

"학생! 한마디만 해 주세요! 일진들의 행태가 어떻습니까!"

"학생이 일진들한테 맞은 학생 맞죠? 머리를 꿰맨!"

"들어가―!"

어떻게든 한마디라도 들으려는 기자들과 어떻게든 말

을 못 하게 만들려는 선생들.

종혁은 떠밀리듯 교문 안으로 들어갔고, 선생들은 교문을 넘으려는 기자들을 막았다.

"너 손에 든 거 뭐야?! 가져와!"

종혁은 학생주임에게 순순히 신문을 내밀었다.

학생주임의 얼굴이 하얘졌다.

"학생이 이런 걸 왜 봐?!"

"학생일수록 사회와 경제, 세상 돌아가는 일들을 알아야죠. 그래야 훌륭한 어른이 된다고 말하셨잖아요."

"그건……!"

맞다.

놀지 말고 교과서를 봐라.

문제집을 풀어라.

신문을 통해 교양을 쌓아라.

그렇게 가르치는 게 그들이었다.

"그런데 무슨 일 있어요? 기자들이 왜?"

말이 궁해진 학생주임은 신문을 뺏듯 가져갔다.

"됐어! 신경 쓰지 마! 들어가!"

'역시 꼬리에 불붙었네.'

그러니 이 이른 시간부터 나와 있는 것이었다.

속으로 웃은 종혁은 손을 내밀었다.

"뭐야, 그 손은?"

"신문값은 주셔야죠. 불온한 시적이나 담배, 술도 아닌데 부당하게 압수하시게요?"

"이놈의 자식이……."

종혁은 눈을 깜빡였고, 종혁의 머리를 본 학생주임은 이를 악물며 주머니를 뒤졌다.

"여기 있다."

"감사합니다."

그렇지 않아도 어제 일로 용돈을 거의 다 써 버려서 백 원 한 개가 아쉬웠다.

'뭐 이것도 잠시지만.'

곧 돈이 생긴다. 제법 많은 돈이.

"……야, 너냐?"

"예? 뭐가요?"

'어허이, 이렇게 훅 들어오시나?'

종혁의 눈을 빤히 바라보던 학생주임은 혀를 찼다.

"됐고, 들어가. 기자들한테 이상한 말 하지 말고."

"이상한 말이요?"

"뭐든!"

"아, 네. 수고하세요."

싱글 웃은 종혁은 유도부로 향했다.

"도대체 무슨 일이야?"

"그러게."

청소할 시간이지만, 그들의 분위기는 꽤 어수선했다.

"안녕하십니까!"

"어, 뚱땡이 왔어?"

"네! 그런데 분위기 왜 이래요? 밖에 기자들 때문에 그래요?"

유도부원들은 고개를 끄덕였다.

"선생들이고 기자들이고…… 진짜 무슨 일인지 모르겠네."

"일진들 때문에 그래요. 돈 뺏기고 맞았다고 제보했거든요."

"뭐?"

유도부 주장이 빠르게 다가왔다.

"진짜야? 진짜 누가 기자들한테 일진들이 삥 뜯었다고 말한 거야?"

"네, 어제 석간신문부터 때리더라고요. 그래서 그런데……."

쿵!

책가방을 내려놓은 종혁이 지퍼를 열었다.

유도부원들은 안에 있는 내용물을 보곤 눈을 동그랗게 떴다.

'신문?'

"선배님들도 이거 한 부씩 읽어 보시죠? 1면 기사만 빼놓은 건데, 읽어 보시고 일진들한테 당한 애들에게도 보여 주세요."

총 42부.

이 신문을 사느라고 또 돈이 나갔다.

'신문 한 부를 밖으로 드러내지 않았으면 책가방 검사를 받을 수도 있었겠지. 흐흐.'

흠칫!

주장은 눈치를 챌 수 있었다.

"설마…… 막내 네가?"

종혁은 미소로 답했고, 주장과 유도부원들은 울컥했다.

"야, 왜 그랬어! 그냥 쥐어패 버리면 되는데!"

"그래, 우리한테 맡기라고 했잖아! 왜 학교 일을 바깥에 말해!"

"때리면 쌍방!"

유도부원들의 눈이 동그래졌다.

"그 양아치들이 맞으면 신고 안 할 것 같아요? 대학이랑 선수촌 안 갈 거예요?"

"아……."

모든 운동선수의 꿈인 선수촌.

폭력 사건이 일어나면 갈 수 없다.

"하지만 그래도……."

안다.

아직은 십대인 이들에게 종혁이 쓴 방법은 거부감이 들수밖에 없다.

종혁은 푸근히 웃으며 달랬다.

"선배님들, 왜 직접 주먹을 씁니까? 그러다 잘못 메쳐서 뼈 부러지면 치료비 주고, 걔들 부모한테 무릎 꿇고 사과도 해야 하는데요?"

"으음……."

"그뿐입니까? 감독님한테 빠따 맞고 선생들한테까지 맞아야 하는데요."

들고 보니 맞는 말이다.

그들의 화가 조금씩 가라앉았다.

"그리고 굳이 저희가 상대할 필요가 없어요. 상대라는 것도 급이 맞아야 하는 건데, 걔들이랑 저희가 급이 맞아요?"

"큼, 그건 그렇지."

"거기다 경찰이 왜 있습니까? 왜 부모님이 힘들게 벌어낸 세금으로 경찰 월급을 주는데요? 이런 일에 나서라고 주는 거잖아요."

"……그러네."

"와, 경찰 아저씨들 월급을 우리 부모님이 주는 거였어?"

"나도 몰랐어. 난 국가가 주는지 알았지."

"그런 거면 경찰에 신고하는 게 맞네."

다른 유도부원들처럼 몰랐던 주장은 미간을 좁혔다.

"그래, 다 알겠는데 왜 애들에게 이걸 보여 주라는 거야?"

"용기 내라고요. 어차피 이제 그 새끼들 엿 됐으니까 용기 내서 진술하고, 자기들 손으로도 엿 먹여 버리라고. 이런 건 원래 피해 규모가 크면 클수록 제대로 보낼 수 있거든요."

"와, 이 사악한 새끼."

"흐흐, 이 기회에 아예 뿌리 뽑아 버리자고요. 일진 없는 동일고, 안심하고 다닐 수 있는 동일고, 깨끗한 동일고. 얼마나 좋아요? 그거 저희가 만드는 겁니다."

"오오, 그거 좋다!"

뭔가 갑자기 영웅이 된 듯한 기분에 유도부원들은 앞다투어 신문을 가져갔고, 꾸벅 인사한 종혁은 교실로 향했다.

교실엔 이미 박수호와 김소영이 와 있었다.

어제 종혁이 말한 대로 돼서 그런지 둘의 얼굴은 꽤 상기되어 있었다.

종혁은 둘에게 고개를 끄덕여 줬다.

"이예!"

"그렇지! 일진들 다 죽었어!"

기뻐하던 김소영은 약간 걱정 어린 표정을 지었다.

"그런데 종혁아, 정말 경찰에 신고 안 해도 되는 거야?"

"어, 안 해도 돼. 어차피 오늘 중으로 알아서 올 테니까."

"정말? 왜?"

종혁은 대답 대신 그냥 믿으라는 듯 웃었다.

'석간, 조간으로 이틀을 때렸는데 안 온다고?'

이쪽 관할 경찰서 서장의 목부터 날아간다.

모두 계획한 대로 돌아가고 있었다.

종혁은 그렇게 온 형사들에게 진술만 하면 된다.

기사로 인해 피해자 신원과 진술 내용을 철저하게 비밀로 지킬 테니 정말 퍼펙트했다.

'몇 시에나 오려나? 쪽지 시험 끝나고 오면 좋을 텐데.'

그래야 공부한 게 안 아까울 테니 말이다.

종혁은 흥얼거리며 김소영표 예상 문제 노트를 폈다.

"공부하자. 쪽지 시험 봐야지."

"응!"

그들은 서로 머리를 맞대며 마지막 점검을 했다.

* * *

"기자들 왔다고 일진이니 뭐니 쓸데없는 소리들 말고 공부나 해. 너희들이 그런다고 세상이 알아주지 않아! 알았어?"

"네."

조례뿐만 아니라 1교시도 시간이 반 이상 흐른 후에야 들어온 담임의 말에 학생들은 맥이 풀려 버렸고, 종혁은 입술을 비죽거렸다.

'저것도 선생이라고, 에휴.'

"그럼 시험 시작한다. 앞줄 이것들 뒤로 넘겨."

"네?"

프린트물을 받아 든 앞줄 학생은 화들짝 놀랐다.

기존의 쪽지 시험은 1교시부터 7교시까지 과목당 다섯 문제씩 칠판에 적어서 시험을 봤다.

그렇기 때문에 7교시가 다 끝나야 시험이 종료됐었는데, 이번엔 4과목 20문제가 적혀 있었다.

마치 진짜 시험처럼 말이다.

"선생님?"

"오늘 집에 일찍 가고 싶으면 얼른 넘겨."

종혁의 눈이 가늘어졌다.

'학생들을 일찍 집에 보내서 진술을 못 하게 만드시겠다?'

시간을 확인한 종혁은 비실 웃었다.

9시 30분.

'서장 출근했겠네.'

그리고 형사들의 무거운 엉덩이를 걷어차고 있을 것이다. 그렇다면 앞으로 길어야 2시간이다.

"책, 공책 다 집어넣고. 책상 중간에 가방 올리고!"

쿠당탕. 드르륵.

"커닝하면 알지? 시험 시작!"

샤프를 든 종혁은 시험지를 봤다가 눈을 가늘게 떴다.

'이야.'

어제 공부한 것 중에 반 이상이 나왔다. 나머지 문제도 보자마자 얼추 답이 나왔다.

종혁의 입가가 주욱 벌어졌다.

시험지는 교실에서 바로 채점됐다.

다른 과목 선생들이 답을 적어 줬기에 담임은 빠르게 채점을 했다.

그러다 한 시험지를 본 그는 얼굴을 팍 구겼다.

"최종혁! 나와!"

종혁은 부를 줄 알았다는 듯 공책 한 권을 들고 그에게로 향했다.

담임은 큐대 끝으로 종혁의 가슴을 찔렀다.

"야, 이 자식아. 모르면 차라리 한 번호로 찍으라고 했지? 이딴 식으로 커닝하지 말고!"

반 아이들의 눈이 동그래졌다.

"커닝 안 했는데요."

"이 자식이 그래도! 이렇게 증거가 있는데도 발뺌할래!"

종혁은 챙겨 온 공책을 내밀었다.

"어제 소영이가 알려 준 예상 문제입니다."

그것을 뺏듯 가져온 담임은 이내 곧 이를 악물었다. 뒤이어 그의 얼굴이 새빨갛게 달아올랐다.

종혁은 입꼬리를 비틀었다.

'왜, 생각이랑 달라?'

전교에서 20등인 김소영의 예상 문제다. 이렇게 명확한 증거가 있는 이상 반박할 거리가 있을 리 없었다.

그는 쐐기를 박았다.

"어제 정말 죽어라 외웠습니다, 선생님."

"……큼, 알았어. 가져가."

종혁은 눈앞의 공책을 일견하며 담임을 보았다.

그 두 눈은 굉장히 차가웠다.

"앞으로 이런 오해는 하지 말아 주셨으면 좋겠습니다. 운동부라고 해서 무조건 공부 못하는 거 아닙니다."

"……."

종혁은 죽일 듯이 노려보는 그를 보며 활짝 웃었다.

"그럼 들어가 보겠습니다!"

'어딜 형사한테.'

사기꾼, 마약범 등 온갖 범죄자와 상대하는 게 형사다. 이 정도 압박이야 산들바람보다 약했다.

자신의 학생도 안 믿는 담임.

그런 수준 떨어지는 사람을 상대로 굳이 열을 내며 상대할 필요도 없었다.

'계속 그렇게 사세요. 난 당신과 다르게 열심히 살 테니까.'

똥은 더러워서 피하는 거다.

그는 가벼운 걸음으로 자리로 향했고, 반 아이들은 그런 종혁을 보며 놀라 웅성거렸다.

'다, 담임이 무섭지도 않나?'

'왜? 맞는 말 했는데. 종혁이 어제 엄청 공부했잖아.'

담임은 어수선해진 반 분위기에 종혁을 노려보다가 이를 악물며 다시 채점했다.

종혁이 한 말 중 틀린 말은 없었고, 밖에 기자들이 와 있어서 다그칠 수도 없었다.

그는 이를 부득부득 갈았다.

그 순간이었다.

ㅡ교무실에서 알립니다. 1학년 3반 최종혁 학생, 최종혁 학생. 지금 당장 학생주임실로 와 주세요.

화들짝 놀란 담임은 종혁을 보았고, 종혁은 느긋이 몸을 일으켰다.

'어이쿠, 무거운 엉덩이들이 오셨나 보네. 그렇다면 가 봐야지!'

이제 이 떠들썩해진 사건을 마무리할 시간이었다.

* * *

학생주임실 앞, 웬 중년 남녀가 발을 동동 구르며 서
있다.

"너!"

"얘! 너니?!"

종혁은 그들이 누군지 대번에 눈치를 챘다.

"참 빨리도 왔다."

거기다 적반하장인 모양새가 기분을 더럽게 했다.

"있어 보세요. 제가 말할 테니까."

그런 그들을 달랜 학생주임이 다가와 눈을 부라렸다.

"저 안에 있는 사람들이 뭘 물어봐도 아니라고 해. 알
았어?"

종혁은 눈을 가늘게 떴다.

'이렇게 나오시겠다?'

학생주임도 담임과 별반 다를 게 없었다.

그러나 대답은 속마음과 달랐다.

"무슨 말인지 모르겠지만, 알겠습니다."

"……들어가."

종혁은 학생주임실 문을 열고 들어갔다.

그리고 놀랐다.

'어? 저 양반들?'

귀찮아하고 짜증이 가득한 얼굴들.

삼십대에서 오십대 열 명 중년인 중 세 명의 얼굴이 낯익다.

'허, 이 양반들 여기 있었어?'

형사 생활을 하다 보면 다른 관할 구역도 자주 넘을 일이 생기고, 공조 수사 같은 것도 이루어지다 보니 같은 서의 형사가 아니더라도 안면을 익히게 된다.

종혁의 입가가 꿈틀거렸다.

드륵! 탁!

"안녕하십니까, 형사님들."

"그래, 내가 형사…… 어? 우리가 누군지 아니?"

"딱 봐도 형사님 같아 보이셔서요. 저희 아버지도 형사셨거든요."

이건 거짓이 아니다.

종혁의 아버지는 백두장사 출신으로 경찰이 됐는데, 종혁이 순경이 된 데에는 그 영향도 있었다.

앉아 있던 형사들의 눈이 빛났다.

"그래? 어디 계시는데? 성함은?"

"강동서에 계셨는데, 범인을 쫓다가 그만 사고로……."

자신이 세상에 나오자마자 돌아가신 아버지.

그 때문에 어머니는 온갖 고생을 하셨다.

종혁의 낯빛이 어두워지자 그들은 당황했다.

"아, 미안하다."

"오래전에 돌아가셔서 괜찮습니다. 아, 성함은 최 도자

철 자입니다."

"뭐? 최도철?"

종혁과 형사들의 시선이 배불뚝이 오십대 형사에게로 향했다.

"아십니까, 반장님?"

"이봐, 학생. 혹시 아버지 되시는 분이 백두장사 아니셨어? 덩치 크고, 눈썹도 송충이처럼 짙고. 상도둑놈이라 불리고!"

"어?"

훗날 퇴직 직전의 어느 형사에게 들은 아버지의 별명.

아버지 최도철이 상도둑놈이라 불리는 이유는 단순했다. 어머니 고정숙과 나이 차이가 13살이나 났기 때문이다.

"맞네, 맞아! 이야, 네가 도철이 아들이야?!"

17년 정도 된 기억.

반장의 눈이 흐릿해졌다.

"어이구, 여기서 같은 식구의 식구를 보네. 제수씨는 잘 계시지? 아, 맞아. 앉아, 앉아!"

단숨에 상황 파악을 끝낸 종혁은 속으로 웃었다. 일이 생각보다 잘 풀리게 생겼다.

종혁은 짜증이 싹 사라진 반장 앞에 앉았다.

"종혁이라고 했지? 혹시 이 형사 아저씨들이 왜 왔는지 아니?"

"일진들 때문이죠? 신문 봤습니다."

"그렇지! 역시 형사 아들답게 똑똑하네!"

반장은 흐뭇하게 웃었지만 종혁의 말은 끝나지 않았다.

"다른 피해자들 신원을 파악할 수 없으니, 피해 사실이 딱 보이는 저를 부른 거겠죠. 저를 통해 다른 피해자 신원을 알기 위해."

덜컹!

몸이 흔들린 형사들의 표정이 변했다.

'이것 봐라?'

반장의 표정이 묘해지자 종혁은 씩 웃었다.

'선수끼리 간 보지 맙시다.'

"어휴, 잘 아네. 그럼 이 아저씨한테 알려 줄 수 있을까?"

"네, 대신……."

"대신?"

종혁은 붕대 감은 머리를 가리켰다.

"살인 미수와 살인 미수 방조, 집단 폭행에 의한 상해 고소장부터 쓰게 해 준다면요."

형사들의 눈이 동그래졌다.

"허, 참."

반장은 헛웃음을 터트렸다.

그러다 얼굴을 일그러뜨렸다.

"너구나? 기자들한테 제보한 사람이."

싸아!

반장과 형사들의 눈이 날카로워지자 공기가 차가워졌다.

종혁은 깊게 허리를 숙였다.

이들도 이 바닥에서 한참을 구른 형사다.

속일 수도 없고, 이번 일에선 이들의 조력이 가장 절실했기에 진심으로 다가가야 했다.

"절차를 무시해서 죄송합니다. 하지만 학교에서 왕처럼 군림하며 온갖 패악을 부리는 일진들을 처벌하기 위해선 어쩔 수가 없었습니다. 경찰을 믿지 못해서가 아니라 사회가 저희 청소년들의 일을 하찮게 생각하기 때문에 그랬습니다. 다시 한번 죄송합니다."

"……허, 참."

반장이나 형사들은 할 말을 잃었다. 종혁의 말처럼 기사가 터지기 직전까지 그들도 학교 폭력을 하찮게 봤기 때문이다.

때리는 놈보다 맞는 놈이 더 바보.

하지만 피해 규모를 알게 된 이상 아니게 되었다.

다만 짜증이 났던 건 아침 댓바람부터 서장한테 조인트를 까였기 때문이다.

"어이구, 이놈아. 그래도…… 에휴, 아니다. 오히려 잘했다."

여의치 않으면 판을 키워 버려라.

그들도 가끔씩 쓰는 수법이었다.

반장은 실소를 터트렸다.

"기사부터 깔린 거 보고 왜 우리 쪽 냄새가 나나 싶더니만…… 도철이한테 잘 배웠네!"

"하하."

"어휴, 이걸 확 때릴 수도 없고."

종혁은 억지로 움츠리며 능글맞게 웃었고, 반장은 담배를 물었다.

이 시절, 실내에서 담배를 피우는 건 당연한 일이었다.

"그래서 어떻게 하고 싶은데?"

종혁은 눈을 빛냈다.

드디어 듣고 싶은 말이 나왔다.

"그게……."

종혁은 자신의 계획을 설명했고, 형사들은 입을 헤 벌렸다.

"귀찮으시겠지만, 피해자들만 불러 모으면 무조건 말 나옵니다. 애들도 무서워서 진술 못 할 테고, 밖에 기자들이 좋다고 달려들걸요? VIP도 주목하실 텐데 인사 고과 좋게 받으셔야죠."

담배를 뻑뻑 핀 반장과 형사들은 다시 헛웃음을 터트렸다.

쪼끄만 게 VIP와 인사 고과를 따지고 있다.

그런데 슬프게도 반박할 수가 없다. 정말 주목하고 있기에 꽤 골치가 아프던 참이기 때문이다.

그런 상황에서 종혁이 제시한 방법은 꽤 끌렸다.

아니, 이보다 좋을 수가 없었다.

"아예 네가 형사 해라. 아니, 형사 해! 아저씨가 잘 키워 줄게!"

"흐흐, 생각해 보겠습니다!"

"짜식…… 그래서 얼마 받고 싶은데?"

"주동자는 이천, 나머지는 천이요. 여기 1학년 일진 대빵들과 떨거지 이름입니다."

반장과 형사들은 입을 떡 벌렸다.

마무리까지 완벽했다.

딱 한계까지 쥐어짠 액수.

보통 이런 사건에선 천만 원 이하의 액수로 합의하는데, 그건 가해자 측에 좋은 이야기지 피해자 측에겐 좋은 이야기가 아니다.

아니, 호구다. 그 죄목에 해당하는 벌금 내에선 얼마든지 가능하기 때문이다.

특히 살인 미수 같은 강력 중범죄는 부르는 게 값.

"너 진짜 꼭 형사 해야 한다. 아저씨가 지금부터 지켜볼 거야."

"옙!"

"알았어. 기다려 봐."

반장은 형사들을 보았다.

"걔들 부모들 들어오라 하고, 진술서 들고 출동해. 학생주임한테 협조 요청해서 일진 놈들 내려보내고."

"예!"

"하이고, 이 영악한 놈. 내 밑으로 이런 놈이 들어와야 하는데."

진술서 뭉치를 든 형사들이 나가고, 밖에 있던 세 명이 쭈뼛거리며 들어왔다.

"어떻게 됐습니까?!"

"뭐야? 네가 왜 아직까지 있어?!"

"이 자식! 너 무슨 소리 했어!"

다급한 얼굴들.

반장은 새 담배를 물었다.

"조용히 해요. 애들 콩밥 먹이기 싫으면."

"무, 무슨……!"

"무슨 말이에요! 우리 애가 콩밥을 왜 먹어요!"

"이 자식이 신고했습니까?! 이 썩을 놈의 새끼!"

종혁은 나른히 웃었다.

이로써 완전히 마음을 정했다.

'한 명이라도 사과를 했으면 생각을 좀 달리 했을 텐데…….'

종혁의 눈동자가 차가워졌다.

그걸 본 반장은 혀를 차며 타앙 책상을 쳤다.

'어이고, 이 바보 같은 사람들아. 쯧쯧.'

자업자득이고, 반장도 이런 사람들을 용서해 주고 싶지 않았다.

자식이 엇나가면 모두 부모 잘못이었다.

"애 머리를 25바늘이나 꿰맸습니다! 이걸 뭐라고 부르는지 압니까?! 살인 미수예요, 살인 미수!"

탕탕!

반장이 다시 책상을 쳤다.

"때린 놈은 살인 미수고, 같이 연장 들고 간 당신들 자식은 살인 미수 방조! 집단 폭행! 못해도 10년입니다! 아시겠어요?!"

"헉!"

부모들의 얼굴이 하얗게 질렸다.

반장은 혀를 찼다.

"이 학생이 아직 고소 안 한 걸 다행으로 여겨야지, 어디 목소리를 높이고 있어?"

어쩔 줄 몰라 하던 부모들의 눈이 빛났다.

"고, 고소를 안 했다는 말은······."

"지금 고소를 안 했다는 거지, 영원히 안 한다는 건 아닙니다. 살인 미수에 관한 공소 시효가 몇 년인 줄 알아요? 막말로 얘가 나중에 대가리 좀 여문 후에 고소하면 어떻게 될 것 같습니까? 당신 자식들이 성인 돼서 어디든 자리 잡은 이후에!"

"허억?!"

"아이고, 형사님!"

"왜 나를 봅니까? 피해자는 이 학생인데."

부모들이 종혁을 보았다.

종혁은 느긋이 의자 등받이에 등을 묻었고, 반장은 속으로 킬킬 웃었다.

'이놈 진짜.'

"잘 생각하세요. 성인 되면 얄짤없이 10년입니다. 지금 합의할래요? 아님 방금처럼 협박해서 판 엎을래요?"

"······."

"잘 생각해야 합니다. 지금 합의하면 소년법의 도움을

받을 수 있어요."

그 말이 쐐기였다.

어제오늘 터트린 신문 덕분에 알게 된 소년법.

부모들은 결국 합의 쪽으로 마음이 기울 수밖에 없었다.

그걸 눈치챈 종혁은 반장을 봤다.

"반장님, 살인 미수와 살인 미수 방조에 관한 평균 합의금이 얼마예요?"

'푸하핫! 이 자식 진짜!'

"이천오백에 이천이지!"

앞서 종혁이 이야기했던 금액보다 높은 금액.

종혁의 의도를 파악하고 말을 맞춰 준 것이다.

움찔!

종혁은 경악하면서 반장을 원망스레 보는 부모들을 응시했다.

"들으셨죠?"

"아, 아니 학생⋯⋯."

"아니면 합의 안 봅니다. 제가 알기로 살인 미수는 합의 안 하면 성인과 똑같이 처벌받는다고 하더라고요? 그렇죠, 반장님?"

끄덕.

부모들의 낯빛이 더 하얘졌다.

종혁은 미간을 좁혔다.

"음⋯⋯ 그래요, 다른 애들 돈도 물어 줘야 할 테니 조금은 깎아 드릴게요."

종혁이 너그룹게 배려하는 듯한 모습.

이에 그들은 더 이상 다른 생각을 할 수 없었다.

"……그런데 학생, 다른 애들 돈이라니?"

"신문 안 보셨어요?"

"헉!"

그랬다. 지금은 종혁 한 명과의 합의일 뿐이었다.

다른 피해 학생들과도 합의를 한다면 단위는 억을 넘어갈 터였다.

그들의 낯빛은 거무죽죽해졌다.

"안 보내시면 바로 고소할 겁니다. 걔들 성인 된 후에."

"……."

종혁은 낙담하는 그들을 두고 일어섰다.

반장에게 인사하고 나가던 종혁은 아차 하며 뒤를 보았다.

"아, 그리고 합의를 본다고 해도 걔들 징역 갑니다."

"뭣?!"

"강력 중범죄 사건이란 게 원래 그렇거든요. 그렇죠, 반장님?"

"그렇지. 형을 많이 받냐, 적게 받냐 차이지."

살인 미수 같은 강력 중범죄는 합의를 보더라도 무조건 징역인데, 이런 강력 중범죄는 형사가 사건을 인식하는 순간 무조건 기소를 해야 한다.

이렇게 설명한 반장의 시선이 부모들에게로 옮겨 갔다.

"그래서 소년법으로 보호받을 수 있는 지금 합의 보라고 했던 겁니다. 지금 합의하면 길어야 1년이지만, 성인 되면 못해도 3년이니까. 에효, 그놈들이 무기만 안 들었어도……."

결국 그들이 선택할 수 있는 답은 하나였다.

부모들은 고개를 푹 숙이는 것으로 답을 했고, 종혁은 입술을 비틀며 학생주임실을 나섰다.

'이걸로 돈도 벌었고!'

아침에 생각한 목돈이 바로 이거였다.

돈도 벌고, 처벌도 받게 하는 일석이조의 방법!

드륵!

"헉!"

"읍?!"

문을 열자마자 황급히 뒷걸음질 치는 일진들.

형사들의 협조 요청으로 떠난 학생주임과 다른 선생들 덕분에 그들은 문에 귀를 대고 있을 수 있었다.

죽일 듯 노려보면서도 앞으로 닥칠 일로 공포에 질린 그들의 면면을 느긋하게 살핀 종혁은 문을 닫으며 피식 웃었다.

"이래서 인생은 실전이라고 한단다, 이 애새끼들아. 애들 돈 뺏고 때릴 때만 해도 좋았지?"

"너!"

"이 개새끼!"

"왜 치시게? 너희도 살인 미수로 들어가려고?"

"……."

코웃음을 친 종혁은 발을 뗐다.

"만나서 더러웠고, 다신 만나지 말자. 아, 다신 못 만나겠구나."

그는 콧노래를 부르며 교실로 향했다.

지금쯤 한 반에 한 명씩 들어간 형사가 43명 학생들과 차례로 일대일 면담을 하는 교실로.

종혁이 나눠 준 신문으로 인해 용기를 낸 학생들이 있는 교실로.

이 모든 걸 설계한 종혁의 발걸음은 무척이나 가벼웠다.

'굳이 진창에 빠질 일 있나, 이렇게 처리하면 되는데.'

"옳지, 잘한다."

교실 안, 열정적으로 진술하는 박수호를 본 종혁은 미소를 지었다.

* * *

삐삐를 받자마자 헐레벌떡 달려온 고정숙은 입을 떡 벌렸다.

합의금을 준 적은 많아도 합의금을 받은 적은 없던 그녀.

그녀는 종혁부터 보았다.

'닌 이설로 만족하냐'는 눈빛.

종혁은 막대한 돈 앞에서도 흔들리지 않는 고정숙의 모습에 자부심을 느꼈다.

"걔들도 학생이잖아. 이 정도에서 끝내는 게 좋을 것 같아요."

"……그래, 알았어."

안절부절못하는 일진 부모들을 주욱 훑어본 그녀는 합의서에 사인하곤 일어섰다.

"그럼 가 볼게요. 잘 부탁드려요."

"제가 오히려 이 똘망똘망한 놈에게 부탁할 정돈데요. 조심히 들어가세요, 제수씨!"

종혁도 냉큼 그녀를 배웅했다.

복도를 걷던 그녀가 입을 열었다.

"정말 이걸로 만족해?"

"그냥 감방만 보내기엔 억울하지. 형사들이 먼저 제안한 거라 선생들에게 찍힐 일도 없으니 일석삼조야."

"……내 아들 맞는데."

"원래 이 아들이 엄마 닮아서 좀 똑똑해. 오늘 본 쪽지시험 성적 확인하면 깜짝 놀랄걸?"

"얼씨구? 40등?"

"그보다 훨씬 높을 걸? 한 15등?"

엄청나게 오른 등수지만 종혁은 아쉬움을 느꼈다. 이번 사건을 해결하느라 공부에 전념하지 못한 탓이었다.

고정숙은 아들의 호언장담에 피식 웃었다.

'정말 정신을 차린 건가?'

너무 정신을 차린 것 같아서 좀 무섭기도 하지만, 그보다는 기꺼움이 더 컸다.

"그래, 이렇게만 해."

"앞으로도 계속 이렇게 할 거예요."

"한번 믿어 본다. 들어가, 저녁에 일찍 들어오고. 너 좋아하는 고기 먹자."

"옙!"

종혁은 잔뜩 어깨가 펴진 채 멀어지는 어머니를 가만히 바라보다 돌아섰다.

언제나 어깨를 움츠려야 했던 어머니.

그의 입가에 미소가 맺혔다.

그렇게 동일고등학교에서 일진들이 사라졌다.

＊　＊　＊

⟨……완벽한 대처와 같이 확실한 처벌을 촉구한다. 기자 박영일.⟩

"잘했어, 김 반장!"

반장 김종두의 입가가 파르르 떨린다. 다른 강력반 형사들도 마찬가지다.

오늘 아침 자 신문을 보자마자 강력반으로 달려온 서장은 흡족하게 웃었다.

"위에서도 지켜보고 있으니까 마무리 잘하고. 지켜본다."

"예! 조심히 들어가십시오!"

서장이 올라가자 형사들은 김종두를 향해 박수를 쳤다.

그들이 생각해도 깔끔하고 완벽한 대처였다.

"이야! 우리 형님 내년에 본청 가시겠네!"

"김 반장님! 가셔도 저희 잊으면 안 됩니다!"

입가가 꿈틀거리던 김종두 반장은 버럭 했다.

"이 나이에 본청은 무슨! 쉰 소리 말고 일들 해!"

"예이!"

자리에 앉아 흥분을 가라앉힌 그는 종혁을 떠올리곤 피식 웃었다.

피해자뿐만 아니라 다른 학생들까지 모두 조사해서 피해자 신원을 숨긴 건 종혁이 제안한 일.

"고놈 참……."

뻐끔뻐끔.

기꺼움이 가득 담긴 담배 연기가 허공으로 흩어졌다.

그건 박영일 기자와 다른 신문사 기자들도 마찬가지였다.

살인미수 합의로 인해 상황을 파악한, 제보자를 눈치챈 그들.

최종혁이란 이름이 그들에게 각인된 순간이었다.

3장. 유도 천재

유도 천재

4월 첫 번째 쪽지 시험, 반에서 15등.

4월 두 번째 쪽지 시험, 반에서 6등.

5월 첫 번째 쪽지 시험, 반에서 3등.

최종 전교 25등.

이 놀라운 결과에 동일고는 한 달 반 전에 있었던 학교 폭력 사건 이후로 다시 한번 뒤집힐 수밖에 없었다.

이른바 운동부의 반란.

일반 학생들의 엉덩이와 손바닥에 불이 나는 순간이었다.

하지만 그들은 몰랐다. 이것도 종혁이 성적을 제어했다는 걸 말이다.

"머리는 좀 어때?"

"이제 다시 운동해도 된다고 했습니다."

신성일 감독은 조심스럽게 입을 열었다.

"계속 공부 안 해도 되겠어?"

여태껏 수업을 제대로 듣지 않은 운동부가 반에서 3등을 했다.

교장이 은근히 압박을 넣고 있었고, 신성일도 종혁의 재능이 어쩌면 공부가 아닐까 생각했다.

종혁은 그런 감독의 마음을 안다는 듯 가슴을 쳤다.

"유도와 공부, 두 마리 토끼를 다 잡겠습니다!"

도 대회에서 입상만 해도 엄청난 가산점이 붙는다. 유도는 결코 포기할 수 없었다.

'그냥 입상이 아니라 우승을 노린다!'

이왕이면 다홍치마. 입상보다는 금메달이었다.

따악!

죽도가 종혁의 허벅지를 때렸다.

신성일이 웃는 얼굴로 유도부실을 가리켰다.

"뭐해? 뛰어!"

"예!"

드륵.

문을 열고 들어간 종혁은 허리를 숙였다.

"안녕하십니까!"

"똑땡, 왔어?!"

똑똑한 뚱땡이.

운동부임에도 성적이 전교에서 노는 것과 한 달 반 전 사건으로 인해 달라진 유도부 위상 덕분에 이런 별명이 붙었다.

예전엔 일진처럼 경원시했다면, 지금은 든든한 버팀목으로 여기는 수준.

괴롭힘을 당했던 여학생에게 러브레터를 받은 유도부원이 몇 명 있기에 종혁의 주가는 굉장히 올라간 상태였다.

종혁은 탈의실에서 유도복으로 갈아입었다.

"흠."

새것처럼 뻣뻣하면서도 두꺼운 유도복.

마흔이 넘어서부터 허리와 등 관절이 나빠져 더 집중하게 된 유도.

옛 스타일의 유도복이 추억을 자극했다.

"그래, 다시 시작이다."

무제한급 유망주.

17살 온전한 몸으로 다시 시작이다.

어디까지 갈 수 있을까, 심장이 뛸 수밖에 없었다.

냉큼 갈아입고 나온 종혁은 걸레를 쥐곤 엎드렸다.

대걸레는 선배들의 몫.

1학년은 그냥 걸레다.

우다다다다!

종혁은 끝에서 끝까지 빠르게 달렸다.

삑! 삑!

"핫, 둘, 셋, 넷!"

청소가 끝나기 무섭게 시작된 뜀박질.

5바퀴, 10바퀴.

몸이 달아오르고, 땀이 송골송골 맺히기 시작한다.

그러나…….

'뭐지?'

종혁은 아직도 배에 머물러 있는 숨에 고개를 모로 기울였다.

큰 덩치 때문에 이쯤 되면 숨이 목까지 차올라 뒤처지던 과거의 그. 뜀박질이 끝날 땐 1등인 주장과 두 바퀴 이상 차이가 났다.

그러나 지금은 오히려 남들보다 앞에서 달리고 있었다.

뒤처지는 아이들은 놀라 종혁을 보았다.

하지만 더 놀랄 일은 인터벌 때 벌어졌다.

삑! 후다닥!

끝에서 끝까지 15미터 전속력으로 왕복.

꼴등은 죽도로 엉덩이를 맞는다.

좌악!

몸이 엉덩이를 기준으로 둘로 나뉘는 듯한 고통.

한 대 맞은 유도부원이나 그걸 지켜본 유도부원들 모두 이를 악물며 달리고, 그 경쟁에 숨은 금세 턱 끝까지 차오른다.

분명 그래야 했다.

'뭐지? 뭐야?'

하지만 종혁의 발은 아무리 뛰어도 속도가 달라지지 않

왔다. 아니, 오히려 속도를 더 높일 수 있을 거 같았다.

'이런 씨!'

'똑땡한테 지면 안 돼!'

다른 유도부원들은 그 모습을 바라보며 더 뒤처지지 않기 위해 이를 악물고 달렸고, 죽도로 어깨를 두드리던 감독은 입을 헤 벌렸다.

'저! 저!'

한 달 반을 쉰 종혁이 훈련을 따라오지 못하면 어쩌나 걱정했던 그는 부들부들 떨었다.

"최종혁."

"예?"

"엎드려."

"예, 옙!"

왜인지 모르지만, 일단 엎드린 종혁의 엉덩이에 죽도가 작렬했다.

짜아악!

"야, 이 자식아! 누가 대가리 터졌는데도 운동하래! 아주, 달리기 연습만 했구만, 이거!"

'안 했습니다만!'

형사 생활을 하며 그가 익힌 게 있다.

다치면 일단 다 나을 때까지 휴식. 안 그러면 훗날 형사의 가장 큰 무기인 몸뚱이가 망가진다.

정말 익울했지만 종혁 본인도 몸 상태에 혼란스러워 말할 수가 없었다.

그런데 여기서 끝이 아니었다.

"……네가 왜 일자로 찢어지냐."

마무리 및 낙법 훈련 전 스트레칭.

180도 찢어진 것도 모자라 아주 여유만만인 다리.

땅에 닿다 못해 잘 수도 있을 듯 바닥에 닿은 뺨에 종혁은 넋을 잃으면서도 깨달았다.

'몸이 좋아졌다!'

안 그래도 미쳤던 이 당시의 피지컬이 더 미쳐 버렸다.

종혁뿐만 아니라 감독, 다른 유도부원들은 경악할 수밖에 없었다.

그리고 깃 싸움에선 기절초풍했다.

털썩!

깃 싸움을 하다 발목이 걸려 허무하게 쓰러진 상대.

"어?"

…….

유도부실이 조용해졌다.

* * *

유도에는 깃 싸움이라는 게 있다.

정확히는 잡기.

소매나 목깃 등을 잡아서 당기거나 밀다가 기술을 집어 넣기에, 이 깃 싸움에서 패하면 낭패를 당하기 쉽다.

오전 10시부터 시작된 건 바로 그 깃 싸움이었다.

"잘 부탁한다."

"잘 부탁드립니다."

하앗! 핫! 텅!

온갖 소음이 울리는 부실 안.

서로 마주 본 종혁과 2학년 120킬로 무제한급 부원이 마주 보고 허리를 숙였다 펴며 자세를 잡았다.

묘하게 짜증 섞인 얼굴이 좀 거슬렸지만, 지금은 신성한 매트 위다. 상념은 접어야 했다.

"하!"

"하앗!"

당김 손, 낚음 손.

선수들은 치열하게 교차하는 손으로 많은 이야기를 한다.

그와 동시에 종혁의 시간이 느려졌다.

'또!'

회귀한 순간 인식한 극한의 동체 시력.

후웅.

느릿하게 뻗어진 손이 소매 깃을 잡는 순간 종혁의 머릿속에 수많은 생각이 스쳐 지나간다.

뿌리칠까 말까.

이 각도면 단숨에 뿌리칠 수 있을 거 같은데.

종혁이 생각에 잠긴 사이, 상대가 잡은 소매를 내리며 파고들었다. 그리고 종혁의 옷깃을 잡아당기며 다리를 집어넣었다.

'메치기? 대련이 아닌데?'

깃 싸움은 어찌 보면 약속 대련.

균형이 무너지지 않는 이상 기술을 이렇게까지 깊게 걸지 않는다.

그 생각과 동시에 종혁의 발바닥이 뻗어져 상대의 발목을 걸어 버렸다.

이건 28년 형사 생활, 범인이라면 일단 엎어트리고 보는 본능에서 나온 반사적인 기술이었다.

후웅!

마치 빈 바닥을 쓸 듯 감촉도 없는 발목후리기.

반사적으로 뻗은 왼손이 옷깃을 잡아 2학년 선배의 손을 잡아떼고, 오른손이 팔을 잡아당기자 그 몸은 그대로 무너졌다.

쿠웅!

"어?"

엉덩방아를 찍은 2학년은 종혁을 멍하니 바라봤고, 반사적으로 무릎을 뻗으려고 했다가 멈춘 종혁도 멍하니 그를 보았다.

신성일도 눈을 비볐다.

"아, 죄송합니다. 반사적으로 그만."

2학년의 얼굴이 빨갛게 달아올랐다.

요새 주가가 많이 올라가서 꼴 보기 싫어진 종혁.

선배로서 콧대도 누를 겸 군기를 잡기 위해 기술을 걸어 넘어트린 후 방심하지 말라고 혼내려 했는데, 도리어

당해 버렸다.

"모, 몸이 풀렸나 보다? 다시 해 보자."

"예."

인사를 한 둘은 다시 서로를 향해 달려들었고, 종혁의 시간은 다시 느려졌다.

'아, 또 기술을? 이 선배 왜 이래?'

"어라?"

쿠웅!

이번엔 주위 부원들 모두 종혁과 2학년을 보았다.

그들도 감독처럼 눈을 비볐다.

고급 기술인 되치기 중에서도 고급인 허벅다리비껴되치기. 허벅다리걸기의 원심력을 이용한 되치기다.

신성일은 기함했다.

"저, 저 자식?"

우연이 아니다.

힘, 오직 힘.

우격다짐으로 업어 치는 게 스타일이었던 종혁.

근육의 질이 다르기에 그동안은 통했다. 중학생까지야 체중으로 짓누르면 되니 말이다.

그런데 지금은 달랐다.

약속 대련처럼 마치 서로가 짠 듯 완벽한 되치기였다. 아니, 허벅다리비껴되치기는 약속 대련이 아니고서야 쉽사리 나올 수 없는 기술이다.

그걸 종혁이 해냈다.

스타일이 바뀌었다.

우월한 피지컬만으로 밀어붙이던 이전에서, 테크닉까지 갖추게 된 것이다. 그것도 수만 번을 연습한 것처럼 완벽한 테크닉을.

"이 개자식이……."

어느새 달려온 신성일이 2학년을 밀어냈다.

"너, 이 자식! 이 자식! 너, 뭐야. 이 자식아!"

후다닥 달려온 그는 머릿속에서 엉킨 단어를 뱉지 못했고, 종혁도 이 상황이 썩 이해되지 않아 머리를 긁적였다.

'이 동체 시력이 같은 선수한테도 통한다고?'

다리걸기가 일품으로 평가받는 2학년 선배다. 자기 몸에 휘둘리기나 하는 일진 양아치들과 다른 진짜 선수.

무제한급에선 빠른 축에 속했기에 대회에 나가면 동메달은 땄던 선배다.

실제로 올해 열릴 회장기에서 동메달 입상을 하며 상비군 발탁이 되는 선배.

종혁은 그런 그에게 기술을 성공시킨 거다. 누구도 이의 없이 깔끔하게.

감독과 유도부원들은 이전과는 다른 종혁의 움직임에 입을 벌렸지만, 종혁에게는 그다지 낯설지 않은 움직임이었다.

위의 3분의 2를 도려 낸 이후, 더 이상 피지컬만으로 범인을 누를 수가 없어서 익힌 테크닉.

적은 힘으로 상대방을 제압해야 했던 악바리의 산물,
그것이었으니까.

'와, 그러니까 달건이, 뽕쟁이 등을 상대로 피 튀기는
실전에서 갈고닦은 테크닉에 이 미친 피지컬과 말도 안
되는 동체 시력이 추가됐다고?'

종혁은 깨달았다.

오싹!

'미쳤다!'

"그래, 이거야. 이 자식아! 아이고 예쁜 내 새끼! 운동
하지 말라니까 왜 했어-!"

신성일은 종혁을 들어 올려 어화둥둥 했고, 종혁은 온
몸을 내달리는 전율에 정신을 차리지 못하면서도 하나의
빛을 보았다.

'이거 단순히 전국대회 메달로 끝날 일이 아니야!'

태릉, 국가대표 선수촌.

검지와 팔꿈치 인대가 끊어지지 않았더라면, 어쩌면 갔
을 그곳으로 향할 길이 열렸다.

이리 오라며 저 멀리서 환한 빛이 나고 있었다.

전율이 다시 한번 종혁의 온몸을 내달렸다.

* * *

종혁은 바로 감독실로 불려갔다.

"잡아당겨 봐, 전력으로."

신성일이 한쪽 끝을 잡은 고무 타이어를 내밀었다.

"흡!"

꾸드득!

"윽?!"

순간 휘청거리는 몸과 끊어질 것 같은 팔 근육.

눈이 동그래진 신성일이 타이어를 놓았다.

"억?!"

신성일은 균형을 잡는 종혁을 다시 끌어안았다.

"이 자식…… 정말 연습 많이 했구나!"

이전에는 팔과 허리만 썼는데, 이젠 전신을 쓴다.

순식간에 전신을 사용한 그 모습은 너무 자연스러웠다.

"운동하지 말라니까!"

종혁은 눈을 데구루루 굴렸다.

그러다 히죽 웃었다.

"절 그렇게 믿어 주셨는데 안 할 수가 있나요."

종혁이 합의를 한 이후 선생들의 눈빛이 나빠졌다.

배신자, 학교 일을 경찰에게 알린 앞잡이.

담임은 아예 대놓고 못마땅해 했다.

종혁을 흠잡을 곳이 없어 말은 안 했지만.

그걸 신성일 감독이 '우리 애는 그런 애 아니다, 형사가 물어보는데 어떻게 말 안 하냐, 그럼 일진들을 먼저 조지든가!'라고 커버했다.

그에 성실히 수업을 받는 종혁의 모습을 본 다른 과목

선생들이 합세하며 여론을 뒤집어 놓았다.

운동도 공부도 성실히 하는 모범생으로.

이는 감독이 걱정하지 말고 학교 다니라며 배려한 것이었다.

"짜식이……."

코를 쓱 문지르던 감독의 눈빛이 돌변했다.

"그래서 어떤 훈련을 했는데?"

전신을 썼다지만 분명 근력이 늘었다.

순발력, 손목 힘, 악력 등 모두.

그동안 신체를 제대로 활용 못 하는 종혁이 답답했기에 잘 알고 있다.

"어, 버핏 테스트나 암 워킹, 크로스핏이요?"

"버피, 크로스 뭐?"

종혁은 아차 했다.

크로스핏 등은 2010년 이후에나 유명해지는 운동들이다.

게다가…….

"감독님의 훈련법이 잘못됐다는 게 아니라 매트가 없는 곳에서 훈련하려다 보니 찾아볼 수밖에 없었습니다."

"……일단 넘어가고, 그것들이 뭔데?"

그가 짠 훈련 커리큘럼이 아닌 운동을 해서 화가 났지만, 이름이 꽤 전문적이었다.

그는 일단 들어 보기로 했다.

잠시 고민했던 종혁은 뻔뻔히 밀고 나가기로 했다.

"유산소와 근력 운동을 함께할 수 있는 운동인데, 인간의 한계를 시험하기에 딱 좋죠. 미국에서 하는 운동이에요."

"미, 미국?"

신성일은 상체를 앞으로 숙였다.

"미국 어디? 미국 유도하는 애들? 걔들 맹탕인데?"

"유도가 아니라 미식축구요. 모든 스포츠 선수 중에서 가장 피지컬이 뛰어난 미식축구."

"……그 공 들고 뛰는 운동을 말하는 거냐? 레슬링이 아니라?"

종혁은 고개를 저었다.

"저도 그렇게 알았는데 아니더라고요."

110kg이 약 40m를 뛰는 데 평균적으로 4.1초.

손가락 하나로 110kg 거구를 자빠트리고, 190cm 상대 선수를 뛰어넘는 압도적인 피지컬.

미식축구는 태클로 죽기도 하기에 세상에서 가장 위험한 스포츠임과 동시에 가장 과학적인 스포츠다.

0.1초, 0.1cm를 위해 수백, 수천억을 쏟아 붓는 스포츠.

몸이 쪼그라든 종혁은 어떻게든 근육을 알차게 만들고 쓰기 위해 이런 과학적인 방법을 조사해서 훈련했다.

이런 종혁의 말에 신성일 감독은 기함했다.

"어마어마하네."

특히 4.1초와 손가락이란 단어가 귀에 쏙 들어왔다.

순발력과 악력.

유도에선 빼놓을 수 없는 것이었다.

"괜히 수백억대 연봉을 받는 게 아니죠."

"허, 박찬오 선수가 미국 갔다고 마냥 생각 없이 좋아할 게 아니었네."

"우리나라랑 쏟아 붓는 돈의 단위가 다르니까요."

"흠……."

종혁은 속으로 가슴을 쓸어내렸다.

뭐랄까, 신이 회귀시켜 준 김에 동체 시력과 몸도 더 좋아지라 한 듯 미쳐 버린 몸뚱이의 출처를 숨길 수 있게 됐다.

"더 이상 할 말이 없으시면 전 이만……."

"종혁아."

"예?"

"그거 어떻게 하는 거냐?"

"……네?"

종혁은 갑자기 두 눈이 불타는 신성일을 보며 눈을 껌뻑였다.

*　*　*

그저 동체 시력과 연륜으로 인한 기술에 의한 것이지만 갑작스런 스타일 변화에 대해 숨기려고 하다기 일이 커저 버렸다.

종혁은 당황할 수밖에 없었다.

"……YAHOO. That's right. Thank you, Sir. God bless you."

전화를 끊은 종혁이 신성일을 보았다.

"후우, 곧 메일이 올 겁니다, 감독님."

종혁은 진땀을 닦으며 헛웃음을 지었다.

너무 옛날이라 기억도 나지 않는 천리안, 나우누리.

이걸 통해 야후에 접속해 NFL(내셔널 풋볼 리그) 사무국 전화번호를 찾고, NFL 사무국이 쓰는 이메일을 확인했다.

그리고 거기에 맞춰 이메일을 만들고, 파일첨부 되냐, 되면 보내 달라 물어보는 등 아주 난리를 피웠다.

1997년, 정말 많은 게 부족하고 번거로운 시기였다. 한국뿐만 아니라 전 세계가.

"어? 어……."

멍해 있던 그가 헛웃음을 지었다.

그건 하도 감독이 나오지 않기에 들어온 사십대 초반 중년인도 마찬가지였다.

종혁의 눈빛이 가라앉았다.

'박상묵 코치.'

부원들이 다쳤을 때 치료를 해 주는 메디컬 닥터이자 기술 보조 코치이며, 유도부 총무.

유도부 만능 살림꾼.

'하지만 돈을 받는다는 소리가 있었지.'

신성일 감독이 직접 스카우트한 종혁으로선 첫 대회전에 손가락과 팔꿈치 인대가 끊어지면서 탈퇴를 했기에 잘 모르는 인물이다.

그런데 훗날 우연히 만난 유도부 선배에게 박상묵 코치가 뒷돈을 받았다는 말을 들은 적 있다.

대회에 출전하기 위해선 이 사람의 동의가 있어야 하기에 의심을 해 볼 만했다.

이 시기 운동이 다 그랬고, 스포츠 비리는 미래에도 일상다반사였다.

"너 영어 잘한다?"

종혁은 싱긋 웃었다.

"곧 글로벌 시대인데 이 정도는 기본으로 해야죠."

아니다. 경찰대 출신 엘리트 간부들에게 지지 않기 위해, 다른 형사들과 차별을 두기 위해 정말 죽어라 익혔다.

영어뿐만이 아니라 일어, 중국어, 러시아어, 태국어, 베트남어 등 한국에서 일어나는 모든 외국인 범죄자나 피해자의 국적에 따른 언어를 익혔다.

단 한 번이라도 일어난 사건이 있다면 그 나라 언어는 무조건 익혔다. 하나의 사건이라도 더 가져오기 위해 말이다.

'너 베트남어 못하잖아. 사건 넘겨 봐, 밥 살게.' 이렇게.

"이젠 영어 못하면 취직 못 할걸요?"

"허, 딸내미도 영어 학원에 보내야 하나."

대기업들이 도산하는 사회 분위기.

지갑 사정을 생각한 신성일은 울상이 되었다. 박상묵 코치의 얼굴도 어두워졌다.

"그런데 훈련법 같은 자료를 이렇게 쉽게 알려 줘도 되는 거냐?"

"그럼요. 훈련법이 극비도 아니고."

극비로 할 만큼 위험하거나 검증되지 않은 훈련은 애초부터 허락하지 않는다. 선수들 몸값이 엄청나기 때문이다.

'솔직히 이렇게 흔쾌히 줄지는 몰랐지만.'

한국의 무슨 학교 운동선수인데 운동법을 참고하고 싶다고 하니, NFL 사무국 측은 멀리 있는 나라의 학생이 진취적이고 귀엽다면서 바로 보내 주기로 했다.

"역시 미국, 마음 씀씀이가 다르네. 그렇지 않아, 박 코치?"

"예, 역시 선진국은 뭐가 달라도 다르네요."

'저도 그렇게 생각합니다.'

선진국은 마인드부터 달랐다.

"아, 혹시 미국에서 유도로 유명한 대학교나 고등학교가 어딘지 아세요? 아니면 일본이나."

"거, 거기도 물어보려고?!"

"일본어도 할 줄 아냐?!"

"글로벌 시대니까요. 이왕 할 거 한 번에 해치워야죠."

그렇지 않으면 찜찜해서 버틸 수가 없다.

"아니면 IOC(국제 올림픽 위원회)에 물어보고요."

신성일 감독과 박상묵 코치는 IOC란 말에 뜨악했다.

"어…… 미국은 모르지만 일본은…… 자, 잠깐만 있어 봐. 내가 확실히 알아볼 테니까."

"저도 알아보겠습니다!"

선진국의 훈련법.

혹여 안 되면 어쩔 수 없지만, 되면 대박이다.

몸이 후끈 달아오른 둘은 올해 나온 작은 신형 핸드폰을 들며 몸을 일으켰다.

그러다 신성일은 아차 했다.

"짜장면 시켜 줄 테니까 여기 있다가 그 뭐냐 메, 메일? 그거 콤퓨타로 온다며. 그거까지 해 봐! 어디 가지 말고!"

"짬뽕이랑 볶음밥, 울면도 곱빼기로요. 탕수육도 대짜로."

"알았어, 인마! 누가 유도 선수 아니랄까 봐. 쯧."

오늘도 가벼워지는 주머니에 울상이 된 그는 일단 중국집에 전화를 걸었다. 일을 시키려고 해도 밥은 먹여야 했다.

"예, 왕자관이죠? 여기 유도부인데 짜장면 곱빼기 쉰 개……."

종혁은 놀라 감독을 봤다.

"너만 입이냐?"

"오."

종혁은 엄지를 치켜들며 이 소식을 전하기 위해 밖으로 뛰쳐나갔고, 주문을 끝낸 감독은 울상을 지으며 다시 핸드폰을 들었다.

"네, 여보님. 전데요⋯⋯."

와아아아!

환호성이 그의 쓰린 속을 달래 주었다.

* * *

어쩌면 당연하게도 일본은 알려 주지 않았다.

반면 미국은 달랐다. 미국은 국가대표 선수단의 피지컬뿐만 아니라, 기술 훈련 방법까지 알려 주기로 했다.

IOC를 통해 미국 국가대표 유도 코치에게 연락이 닿아서 알 수 있게 되었다.

놀랍게도 말이다.

그런데 신성일 감독과 박상묵 코치는 그럴 줄 알았다는 듯 고개를 끄덕였다.

"일본 놈 쉬키들은 음흉한 놈들이라서 알려 주지 않을 줄 알았고, 미국은 영 맹탕이라서 그래. 작년 올림픽에서 동메달 하나 겨우 땄잖아. 그런 애들인데 유도 최강인 우리나라 학생이 훈련법을 알려 달라 하니 뭐라도 된 듯했겠지."

"허, 이런 거 보면 코쟁이 놈들도 칭찬에 약하긴 하나 봅니다. 아니, 호구인가?"

"아."

일찍 유도를 그만뒀기에 그건 몰랐던, 혹여 알았어도 이젠 상관없는 일이라고 까먹었던 종혁은 의아해하며 감독을 보았다.

감독과 코치는 피식 웃었다.

"아까 종혁이 네가 한 말처럼 0.1초의 찰나, 그 찰나의 찰나라도 빨라질 수 있다면 뭐든지 해야지. 내가 명색이 감독인데, 당연히 연구해야 하는 거 아니겠냐? 모르면 몰랐겠지만 말이야."

"암, 그럼. 우리가 있는 이유가 그거지."

'맞아, 이런 분이셨지.'

"존경합니다, 감독님."

따악!

죽도가 종혁의 머리를 쳤다. 상처도 나았기에 거침없었다.

"아부하지 마, 이 자식아. 돈 없어."

"윽."

머리를 문지를 종혁은 싱긋 웃으며 컴퓨터를 보았다.

마침 메일이 도착해 있었다. 그것도 첨부 용량에 한계가 있어서 몇 십 개로 나눠서.

종혁은 그걸 하나하나 다 다운받기 시작했고, 신성일 감독은 그걸 지켜보다 박상묵 코치를 툭 치며 밖으로 나갔다.

건물을 빠져나온 둘은 담배를 물었다.

"상묵아."

"예, 형님."

"저 자식 공부시켜야 될까?"

박상묵의 눈이 가늘게 떠졌다.

'최종혁.'

눈앞의 신성일이 직접 스카우트해서 데려온 학생.

기술을 영 쓰지 못하는 게 선수가 되려면 멀었다고 생각돼서 신경조차 안 썼는데, 한 달 반 만에 다시 본 모습은 달랐다. 마치 환골탈태한 것처럼 다른 사람이 되어 버렸다.

그가 밀고 있는 2학년, 오늘 종혁과 붙은 윤성오의 앞길을 막는 장애물이 될 것 같았다.

"글쎄요."

그는 속으로 혀를 찼다.

'그놈이 방금 그런 모습만 안 보였어도.'

영어와 일본어가 마치 미국인과 일본인 같았다.

그렇다고 윤성오를 생각해 그냥 공부를 시키자고 말하자니 오늘 기술이 너무 깔끔했다. 신성일도 지금 그것 때문에 고민하는 것일 터였다.

"일단은 합숙까지 지켜보시죠? 기술 쓰잖습니까."

전반기 큰 대회 중 하나인 청풍기가 얼마 전에 끝났다.

그 대회에서 윤성오는 아쉽게도 6위.

이제 큰 대회는 모두 8월 이후로 몰려 있었다.

"그렇지?"

신성일의 얼굴이 확 밝아졌다.

"그래, 공부보다 유도를 더 잘할 수 있잖아?"

기술까지 쓰게 된 종혁은 무조건 전국 체전에서 활약할
재목이었다. 어쩌면 회장기에서 입상해 상비군이 될 수
있었다.

　"오케이, 일단은 합숙까지 지켜보자. 그때까지 종혁이
메디컬 체크 좀 자주 하고."

　"예, 알겠습니다."

　신성일은 담배를 던지며 안으로 들어갔고, 남은 박상묵
은 담배를 질겅질겅 씹었다.

　"사고를 치거나 다치기만을 바라야 하나. 아니면……."

　눈빛이 서늘해졌던 그는 이내 고개를 털었다.

　"쯧, 돈 벌기 어렵구만."

　그도 곧 담배를 던지며 안으로 들어갔다.

　종혁 왈, 피지컬 괴물이라는 미식축구 선수들의 훈련법
이 그도 썩 궁금했다.

*　*　*

　찌직! 찌직!

　"이야, 저것도 쓸데가 있네."

　여태껏 책상의 자리만 차지했던 컴퓨터와 프린터.

　학교에서 쓰라고 해서 가져다 놓긴 했지만, 지뢰찾기나
카드게임 말곤 애물단지나 다름없던 컴퓨터가 드디어 컴
퓨터답게 쓰이고 있었다.

　그보다 더 놀랍고 경악스러운 건 보기만 해도 눈앞이

아찔해지는 영어를 종혁이 번역했다는 점이다.

이제 겨우 17살인 종혁이 이렇게까지 번역을 잘한다는 건, 결국 이 정도는 기본으로 깔고 가야 앞으로 취직이든 뭐든 할 수 있다는 것이었다.

딸이 영어 문제집을 샀다는 소리를 들어 본 기억이 없는 그는 입맛을 다셨다.

'정말 영어 학원에 보내야겠네…….'

종혁이 특별한 것이었지만 그로선 알 리가 없었다.

"일단 10장만 번역했는데, 한 달 안에 다 번역해 놓겠습니다."

"분량이 많아?"

"612페이지요."

"뭐?"

신성일 감독과 박상묵 코치는 질겁했다.

'이 정도면 거의 논문을 보낸 수준인데?'

더 놀라운 점은 이 중 200페이지가 재활과 응급 처치 등 메디컬, 스포츠 의학에 관한 자료라는 것이다.

"뭣?! 재활? 응급 처치? 진짜냐!"

"예. 여기 보시면 테이핑도……."

"오오오! 뭐야, 어떻게 읽는 거야?"

박상묵은 종혁을 보았고, 그는 볼을 긁었다.

"받아 보시려면 한 달 뒤에나……."

"무슨! 이것부터 해야지! 이것부터 해야 합니다, 감독님!"

신성일도 고개를 끄덕였다.

"그래. 훈련이야 여름 합숙 때 적용해도 되지만, 메디컬은 하루라도 빨리 적용하는 게 낫지."

'흠…… 맞는 말이긴 한데.'

엄청난 투자를 밑바탕으로 만들어진 선진 기술이라고는 하나, 이건 어디까지나 1997년도의 이야기.

종혁이 보기에는 여러모로 아쉬운 점이 많이 보였다.

'적당히 개선해서 써 볼까?'

종혁은 형사 생활을 하며 스포츠 의학에 대해서도 공부했었다. 특히 재활에.

범인을 쫓다 보면 온갖 부상을 입곤 했는데, 그때마다 한시라도 빨리 현장에 복귀하기 위해서였다.

"예, 알겠습니다. 하지만 시간이 조금 걸릴 거예요."

유도에 맞춰 개선하려면 아무래도 시간이 필요했다.

종혁은 메디컬 자료를 펼쳐 서둘러 번역을 시작했고, 둘은 그런 그를 흐뭇하게 바라봤다.

'이놈이 보물이네, 보물이야. 역시 스카우트하길 잘했지!'

'흠, 코치로 키워 볼까? 보니까 돈에도 욕심이 있는 것 같던데…….'

둘은 동상이몽을 꿈꿨다.

* * *

9시 늦은 밤, 퀴퀴한 반지하지만 두 모자의 소중한 보금자리로 돌아온 종혁은 코를 벌름거렸다.

고기 냄새와 매콤달달한 해물 냄새가 강하게 풍기고 있었다.

부엌으로 향한 그는 경악했다.

"갈비찜? 해물찜? 엄마, 복권 당첨됐어?!"

"당첨되긴, 곗돈 탔어."

"곗돈?"

"응, 천만 원."

종혁의 눈이 동그래졌다.

'센데?'

이 시절 천만 원은 결코 작은 돈이 아니다. 이래서 곗돈이 목돈이라고 하는 것 같았다.

"예숙 언니 투자 잘되면, 너 합의금이랑 합쳐서 이사가자. 씻고 나와, 다 됐어."

"오오!"

계획을 세워 둔 어머니의 모습에 돌아서던 종혁은 멈칫했다.

"투자?"

"응, 세상이 시끄럽잖아. 이때 달러랑 금을 사 놔야…… 아니, 넌 신경 쓸 거 없으니까 얼른 씻고 나와."

순간 종혁의 피가 거꾸로 솟았다.

'하, 송양자 이 쌍년 봐라? 돈 냄새 맡았다 이거냐?'

종혁은 원래 2001년까지 가만 놔두려고 했다. 제 살을 깎아 먹는지는 모르지만, 2001년까지 곗돈을 꼬박꼬박 잘 지급했기 때문이다.

그래서 더 이해가 되지 않았다.

사기꾼은 제 목표 액수를 채우기 전까진 결코 이빨을 드러내지 않는다. 물론 언제든 튈 준비를 해 놓지만, 턱 밑에 칼이 들어오지 않는 이상 사기꾼만큼 세상 착한 놈들도 없다.

'아, 설마?'

"엄마."

"또 왜?!"

얼른 그 시큼한 땀 냄새를 씻어 내지 않으면 '등짝을 작살내겠다'라는 어머니의 강렬한 눈빛에 종혁은 찔끔했지만 가슴을 폈다.

"혹시 계원들에게 아버지 이야기했어요?"

"했는데?"

"나 합의한 것도?"

순간 귀찮아진 얼굴로 손을 저었지만, 그걸로 답은 됐다.

'이년 튀려는 거구나! 김종두 반장과 아버지의 인연을 엄마가 말한 거야!'

턱밑에 김종두 반장이라는 칼이 들어왔다.

혹시라도 김종두 반장이 엄마 노점에 들렀다 송양자를 본다? 그녀가 짠 30억짜리 판이 엎어지는 거다.

송양자는 그 전에 튀려는 거다.

'하, 이년을 어떻게 죽여야 할까.'

종혁의 눈빛이 서늘하게 가라앉았다.

* * *

지하철역 출구 노점들은 5시부터 피크를 맞는다.

어묵과 국수, 김밥.

이른 아침, 아침밥 못 얻어먹고 출근하는 직장인들에게는 참 고마운 한 끼 식사다.

그중 유난히 손님이 몰리는 곳이 있다.

종혁의 어머니, 고정숙의 노점이다.

멸치김밥을 시작으로 참치김밥, 누드김밥, 계란김밥, 불고기김밥 등 열흘마다 새롭게 늘어나는 김밥은 김밥에 물릴 대로 물린 직장인들에게 행복한 선택을 하게 만들었다.

주위 노점들은 그런 고정숙을 부러워하면서도 메뉴를 따라 하기 바빴다.

그건 김예숙…… 아니, 송양자도 마찬가지다.

"불고기김밥이요!"

"이모, 누드김밥!"

도떼기시장처럼 시끄러운 고정숙의 노점을 본 송양자는 눈을 가늘게 떴다.

"돈을 아주 갈퀴로 쓸어 담네."

아들까지 합세해 불티나게 팔고 있다.

그렇다 보니 저 돈까지 홀랑 먹어 버리고 싶다는 욕심

이 든다.

그러나 판을 접어야 한다.

"쯧, 왜 형사하고 친해서는."

30억짜리 설계가 5억으로 쪼그라들었다. 당연히 피눈물이 날 수밖에 없었다.

그래도 고정숙에게 1억을 받을 수 있기에 위안이라면 위안이었다.

"오늘 돈이 들어오면 내일 바로……."

동남아행이다.

동남아 휴양지의 야자수와 열대 과일을 떠올린 그녀는 히죽 웃으며 짜증을 털어 냈다.

"예숙 씨?"

"네! 안녕하세요……."

송양자는 항공점퍼를 입은 오십대 남성을 보곤 눈을 가늘게 떴다.

목덜미를 스치는 섬뜩한 소름.

그가 미소를 짓자 소름은 더욱 짙어졌다.

"이야, 송양자. 너 예쁜 이름으로 개명했다? 언제 개명했어?"

송양자의 눈이 빠르게 주위를 훑었다.

또 다른 남성들이 양옆으로 있고, 노점 뒤에서도 기척이 느껴졌다.

"……씨발."

'그냥 튀었어야 했는데!'

오십대 남성, 김종두 반장이 수갑을 꺼내 흔들었다.

"내가 들어갈까, 아님 네가 나올래?"

"들어오긴 뭘 들어와! 내가 뭘 잘못했다고! 형사가 선량한 시민에게 이래도 돼?!"

마지막 발악.

김종두는 콧방귀를 뀌었다.

"선량한 시민은 무슨. 양자야, 선수끼리 이러지 말자. 사기꾼이 자기 이름 안 쓰면 답은 하나잖아. 너 주민등록증도 위조했다며?"

'개 같은!'

그건 또 언제 알았을까.

송양자는 끝났다는 걸 알아차렸다.

"바, 반장님?"

"아이고, 제수씨 오셨어요? 그래, 종혁이도 왔냐? 이 새벽부터 엄마 돕는 거야? 기특한 놈."

이 주변에 있는 건 종혁과 고정숙뿐만이 아니다. 어느새 수많은 구경꾼이 모여 있었다.

종혁과 김종두는 의미심장한 눈빛을 나눴다.

"예, 예숙 언니는 왜?"

"예숙이요? 아이고, 제수씨. 이년 송양자입니다. 사기 전과 4범, 송양자."

"네에?!"

"혹시 이년이 좋은 투자처 있다고 해서 돈 주고 그런 거 아니시죠?"

고정숙의 얼굴이 하얗게 질렸다.

그녀는 불신 가득한 눈으로 송양자를 보았다.

"아니지, 언니?"

"쯧! 하루만 더 있으면 됐는데⋯⋯."

혀를 찬 송양자의 표정이 일그러지자 고정숙은 기함했다. 그러곤 그대로 몸을 날렸다.

"야, 이 쌍년아―!"

'헉!'

난생처음 들어 보는 엄마의 쌍욕.

당황한 종혁은 재빨리 고정숙을 끌어안았다.

"놔! 아들, 놔! 내가 언니를 얼마나 믿었는데―!"

"진정해, 엄마. 때리면 폭행이야!"

"폭행이고 나발이고! 이리 와! 이리 안 와?!"

머리털을 죄다 뽑아 버리려는 듯 손을 휘젓는 그녀의 살벌한 모습에 식겁한 김종두는 절대 놓지 말라고 종혁을 보았다.

그러곤 송양자를 향해 수갑을 던졌다.

"가자. 사기보단 사기 미수가 낫잖아."

"⋯⋯진짜 재수 옴 붙었네. 저년 뒤진 남편이 짭새라고 했을 때부터 알아봤어야 하는데."

뚝!

"야, 이 개 같은 년⋯⋯."

"후우, 씨발."

순간 주위의 기온이 낮아졌다.

머리 위에서 터진 욕에 눈을 뒤집으며 송양자에게 달려들려고 했던 고정숙이 멈추며 고개를 들었다.

난생처음 보는 아들의 화난 얼굴.

흉신악살처럼 일그러진 얼굴에 그녀는 화내는 걸 잊었다. 덜컥 심장이 내려앉았기 때문이다.

"아, 아들?"

불안이 가득한 부름.

하지만 그건 종혁의 귀에 닿지 않았다.

'사기꾼 년 따위가 엄마를 욕해?'

아버지를 비명에 잃은 후 아등바등 살아오신 어머니.

매년 제사 때마다 아들에게 약한 모습을 보일까 붉은 눈시울을 감추던 어머니.

강인하지만 여린 어머니의 가슴에 사기꾼 따위가 대못을 박았다.

어머니를 잡고 있던 팔을 푼 종혁은 송양자에게 다가갔다.

"어어? 마, 막아!"

하얗게 질린 송양자와 김종두 반장.

김종두의 외침에 한 형사가 종혁을 막았다.

"종혁아, 잠깐……."

종혁은 가슴을 미는 그 손을 잡고는 발목을 걸어 올렸다.

허공으로 붕 뜨는 형사의 모습이 모두의 눈에 슬로비디오처럼 비쳤다.

쿵!

바닥을 뒹구는 형사.

그와 동시에 종혁의 눈이 완전히 뒤집혔다.

"넌 뒤졌다, 씨발년아."

"정수야! 아니, 다들 종혁이 막아!"

다른 형사가 재빨리 달려와 종혁에게 손을 뻗었다.

종혁은 그 다가오는 손을 툭 쳐 냈다.

그런데…….

툭! 툭탁탁!

'이건 또 뭐야?'

빠르게 교차하는 손.

한 치의 밀림도 없는 싸움이다.

상대의 얼굴에 서린 '이것 봐라?'의 감정이 종혁의 심기를 건드렸다.

짜증이 솟구친 종혁은 느려진 시간 속 상대의 안으로 파고들며 그 팔을 감아 업어쳤다.

아니, 업어치려 했다.

터억!

허리를 미는 손만 아니었으면 말이다.

"후우, 겁나 빠르네. 야, 인마! 잠깐 누워……."

종혁은 갑자기 서늘해지는 발목에 그대로 주저앉으며 상체를 앞으로 숙였다.

그리고 그 멱살을 잡아 허리를 돌렸다.

양팔앉아업어치기.

부족한 회전력은 완력으로 대신했다.

"흐억?!"

원을 그리며 넘어가는 형사.

김종두의 입이 떡 벌어졌다.

쿠웅!

"컥!"

유도는 중력을 이용한 기술.

이 정도면 몇 초간 움직이지 못한다.

종혁은 몸을 일으켰다.

그 순간.

터억!

기술에 당한 형사가 종혁의 종아리를 감싸고.

"지금이야! 덮쳐!"

"이야앗!"

다른 형사들이 종혁의 등을 덮치려고 했다.

"아들, 안 돼!"

종혁을 끌어안는 고정숙만 아니었다면 말이다.

덜컥 몸이 멈춘 종혁은 고개를 내려 어머니를 보았다.

작은 체구로 어떻게든 아들을 막으려는 어머니. 약하지만 그 강인한, 그 모순된 힘이 종혁으로 하여금 정신을 차리게 했다.

머리에 올랐던 열이 팍 식은 종혁은 파랗게 질린 송양자를 보며 혀를 찼다.

'운 좋네.'

상황은 그렇게 일단락되었다.

"여기예요? 이 차에 타면 돼요?! 이 차냐고!"

송양자는 마치 괴물에 쫓기듯 스스로 수갑을 차고 차에 탔다.

종혁을 피해 도망치려는 모양새가 꽤 웃겼다.

'끝난 건가.'

첫 번째 악연이 정리됐다.

종혁은 시원섭섭함을 느꼈다.

'저년은 고작 사기 미수로 들어가면 안 되는데…….'

분명 교도소에서 다음 사기를 준비할 것이다.

그게 사기꾼의 천성이었다.

한참을 고민하던 종혁은 이내 편하게 마음을 먹었다.

'뭐, 다음에 또 처넣으면 되지.'

그땐 정식으로 형사가 된 이후가 될 것이다.

종혁은 가슴에 남은 재를 털어 냈다.

"어휴, 이놈 누굴 닮아서 이렇게 다혈질이야? 아주 식겁했네."

"죄송합니다, 반장님. 그리고 형사님들."

종혁은 진심으로 사과했다.

까딱하면 돌이킬 수 없는 사고를 칠 뻔했다.

경관 폭행, 얄짤없이 징역이다.

김종두와 형사들은 그걸 보며 헛웃음을 지었다. 특히 종혁에게 당한 형사들의 표정은 복잡했다.

김종두는 낄낄 웃었다.

"정수, 너는 권투 신인왕이었다는 놈이 미짜에게 당하냐? 승철이 넌 아시안게임에서 유도로 동메달 땄잖아? 에라이, 모자란 것들."

두 형사는 발끈했고, 종혁은 놀랐다.

'그래서 기술이 막혔던 건가?'

그보단 아시안게임 메달리스트를 넘긴 것이 더 놀라웠다.

메달리스트에게도 통하는 동체 시력.

종혁의 몸에 솜털이 곤두섰다.

"아니! ……에이."

종혁에게 먼저 당한 형사들은 돌아섰고, 김종두는 종혁에게 한 발 다가섰다.

왜인지 그의 눈빛이 초롱초롱했다.

"유도부랬지?"

"예, 정말 죄송합니다."

"그건 당연한 거고. 저년이 먼저 지랄해서 봐주는 거야. 그보다 기술이 장난 아니더라? 어떤 분한테 배우고 있어?"

승철이 현역에서 물러난 지 벌써 십여 년이 흘렀지만, 아직도 경찰청 유도 대회에선 큰 성적을 거둔다.

재작년엔 유도 왕까지 했다.

그런 그를 깔끔하게 넘겨 버렸다. 업어치기를 막았던 상태에서 들어온 기술에 제대로 반응하지 못했다.

그도 한때 유도를 한 적이 있기에 이게 얼마나 힘든지 안다. 호기심이 들 수밖에 없었다.

"신성일 감독님입니다."

"신성일…… 솔직히 잘 모르겠지만, 대단한 사람에게 배우고 있나 보네."

체급 차이도 있지만, 타이밍이라든지 힘이 예술이었다.

뛰어난 대장장이가 적당히 좋은 철로 명검을 만드는 게 아니다. 애초부터 괴물이었던 것을 더 괴물로 만드는 거다.

유도 천재.

그의 앞을 가로막았던 천재들의 그림자가 종혁에게도 보이고 있었다.

아시안게임 정도가 아니라 올림픽에 활약하는 진짜배기 천재들.

"네, 정말 대단한 분이시죠."

종혁의 입가에 미소가 번졌다.

신성일은 고작 대단하다는 말로는 다 표현할 수 없는 사람이었다.

김종두의 입술이 꿈틀거렸다.

'스승을 믿고 따른다라…….'

인성이 됐다.

그는 종혁의 가슴을 툭 쳤다.

"유도 열심히 해서 국위 선양해라. 알았나."

'그리고 형사 돼라!'

예전에 수배자 명단을 봤다며 연락한 종혁.

눈썰미와 기억력도 아주 훌륭했다. 이전의 일 처리까지.

'이놈은 형사를 위해 태어난 놈이야!'

타고났다고 봐야 했다.

"……예!"

"그래, 지켜볼 거야."

뭐든 급하면 체한다. 김종두는 속내를 슬그머니 숨겼다.

"에고, 당한 사람은 전데 왜 반장님이 폼 잡으세요?"

"미짜한테 당한 놈이 말이 많다? 얼른 안 튀어가?"

"……에이."

"저놈 저, 저!"

손가락질하던 김종두는 고개를 저으며 고정숙에게 다가섰다.

"욕볼 뻔했습니다, 제수씨."

"……후우."

가슴을 친 그녀는 허리를 숙였다.

"감사합니다, 반장님."

돈을 주기 전에 검거돼서 얼마나 다행인지 몰랐다.

종혁의 합의금에다 그간 모은 돈을 모두 잃어버렸다?

심장이 내려앉고 오금이 풀렸다. 옆에 종혁이 있지 않았다면 벌써 주저앉았을 것이다.

"뭘요, 저도 저년 알아본 사람이 신고해서 잡으러 온 걸요."

그 사람은 종혁이다. 덕분에 실적 하나를 올릴 수 있었다.

송양자가 성공했다면 무려 5억짜리. 미수라지만, 그 액수가 제법 컸다.

학교 폭력부터 오늘 일까지, 참 예뻐할 수밖에 없는 아이였다.

"자, 여기 네가 조사해 달라는 거."

"감사합니다! 반장님!"

"다음부터는 이런 거 부탁하지 마라. 절대 안 해 줄 거야."

"예!"

'그건 두고 보자고요.'

세상은 기브 앤 테이크.

종혁은 그걸 아주 잘 알고 있었다.

"그럼 가 보겠습니다. 아, 송양자에게 이미 돈을 건넨 분들은 곧 돈 돌려받을 테니 마음 놓으시고요."

"어휴, 감사합니다."

싱글 웃은 김종두는 돌아섰고, 고정숙은 종혁을 보았다.

"응? 왜?"

난생처음 본 아들의 화난 모습.

살벌하기도 했지만, 든든하기도 했다.

퍼억!

"억?! 어, 엄마?"

배를 움켜쥔 종혁은 어리둥절했다.

"아주 한 번만 더 엄마 앞에서 욕하고 그래 뵈라, 아주 그냥!"

짜악! 짝! 짝!

"악! 악악! 왜 그래!"

부당했지만, 종혁은 그냥 맞는 걸 택했다.

놀란 어머니의 눈과 얼굴이 떠올라서다.

"알았어?!"

"아니, 다 때려 놓고……."

"더 맞겠다고?"

종혁은 엉덩이를 뒤로 빼며 고개를 저었고, 그제야 그녀가 알던 아들 같은 모습에 고정숙은 피식 웃었다.

"그런데 그건 뭐야?"

"……아, 펀드 매니저 전화번호."

"펀드…… 뭐?"

"주식 알지? 그 왜 여의도에 회사들 있잖아. 그걸로 돈 버는 사람들 말하는 거예요."

"아, 그런데 그건 왜?"

"돈 생겼잖아, 그럼 돈 불려야지. 듣기론……."

티 나게 주위를 두리번거린 종혁이 귓속말을 했다.

"이 사람 수익률이 연 30퍼센트래. 반장님도 비상금 맡기는 사람이야."

신뢰를 주기에는 김종두 반장만 한 이름이 없었다.

종혁의 예상대로 그녀는 한 치의 의심도 없는 눈빛으로 다급히 종혁을 봤다.

연 30퍼센트라면 그 어떤 은행과 계보다 많은 이자였다.

"반장님이 저번에 학교 폭력 때문에 칭찬 많이 받으셔

서 뭐 해 줄까 물어보시더라고. 그래서……."

고정숙은 종혁을 빤히 쳐다봤다.

그러곤 종혁의 얼굴을 잡아 뭉갰다.

"엄마 아들 맞으니까 그만 확인하세요."

짜악!

"아, 또 왜요!"

"누가 너 보고 그런 거 생각하래! 그런 건……!"

화를 내려던 그녀는 입을 다물었다. 그녀 혼자 뭘 어떻게 하려다 사기를 당할 뻔했기 때문이다.

'미안합니다, 어머니.'

본의 아니게 어머니 가슴에 못을 박았다.

고개를 들 수가 없었다.

"후, 알았어. 번호 줘 봐. 엄마가 연락할 테니까."

"넵!"

종혁은 순순히 종이를 내밀었다. 이미 번호를 외웠기 때문이다.

종이를 주머니에 넣은 그녀는 손을 저었다.

"얼른 학교 가 봐. 늦겠다. 가는 길에 이걸로 밥 사 먹고."

"알겠습니다. 학교 다녀오겠습니다!"

어머니가 준 용돈을 찔러 넣은 종혁은 허리를 꾸벅 숙이곤 돌아섰다.

더 있어 봤자 어머니의 울렁거릴 마음을 다스리는 데 도움을 줄 수 없을 것이기에 그는 미련을 접을 수밖에 없었다.

'부디 이겨 내시길.'

어쩌면 어머니 인생에 처음 있을 배신.

종혁은 함께할 수 없음에 이를 악물었다.

그렇게 학교로 향한 그는 학교 근처 공중전화기에 들어가 전화카드를 꽂았다.

ㅡ예, 여보세요?

'이땐 이런 목소리였나?'

피곤에 절은 목소리를 들으며 종혁은 눈빛을 빛냈다.

이 시기 국가부도론을 외쳤지만, 말을 들어 주지 않은 윗대가리에 증권사를 박차고 나와 투자 회사를 설립해 크게 성공한 그.

백배 수익률의 신화를 이룩한 한국 투자계의 전설.

그러다 훗날 금융 사기에 휘말려 억울하게 옥살이를 하고, 귀촌해 버리는 사람.

종혁은 목소리를 가다듬었다.

"안녕하십니까. 귀하의 국가부도론에 관심이 생겨서 연락드렸습니다."

ㅡ……!

'내 돈 좀 불려 주쇼, 석사 양반.'

종혁의 입가에 의미심장한 미소가 맺혔다.

* * *

한편 경찰서로 복귀한 김종두 반장은 고개를 푹 숙인

송양자를 보다 수화기를 들었다.

　－동일고 행정실입니다.

　"예, 유도부 신성일 감독님 부탁드립니다."

　'밑밥을 깔아 볼까?'

　종혁을 형사로 만들기 위한 밑밥.

　그의 입가에 의미심장한 미소가 번졌다.

4장. 넌 보물이야

넌 보물이야

빠악!

전화기에 대고 소리치고 컴퓨터를 두드리는 소리로 전쟁통이 따로 없는 사무실이 조용해졌다.

얼굴이 시뻘겋게 달아오른 배불뚝이 대머리 오십대 장년인.

고개를 돌리고 있는 삼십대 초반의 사내.

사람들은 '또?'라며 한심해한다.

"하지 말랬지?"

빠악!

부장의 손바닥이 사내의 머리를 후려쳤다.

빡! 빡! 빡!

"하지 말랬잖아. 하지 말라면 좀 하지 말라고!"

사내 인트라넷에 올라온 부하 직원의 기획서.

한보그룹과 삼미그룹의 부도를 시작으로 대한민국이 넘어진다는 음모론.

이번 달 그가 올린 기획서를 헛소리 말라고 반려했더니, 이 미친놈이 정신 못 차리고 사내 인트라넷에 올려 버렸다.

"내가 우습냐? 이래도 허허, 저래도 허허 하니까 동네바보 같아?"

"하, 하지만……."

"야, 이 개새끼야!"

뻐어억!

부장이 주먹으로 사내의 얼굴을 후려쳤다.

사내는 나뒹굴었고, 기겁한 직원들이 부장에게 달려들었다.

"참으십쇼, 부장님!"

"릴렉스! 릴렉스!"

"내가 어? 상무님께 어?! 이 나이에!"

"부장님-!"

"후우, 후우."

거친 숨을 몰아쉬던 부장은 머리를 넘겼다.

"당장 내 눈앞에서 꺼져, 이 밥 버러지 새끼야!"

"……."

고개를 돌린 채 몸을 일으킨 그는 사무실을 빠져나갔고, 부장은 담배를 물었다. 그의 부하 직원이 얼른 라이터를 켰다.

치익!

"후우, 대한민국 역사상 최고의 활황에 뭐? 국가 부도? 니미, 소설을 써도 팔릴 만한 걸 써야지!"

조지 소로스란 놈들이 여러 나라를 초토화시킨 건 알고 있지만, 국민 총소득이 만 불을 넘겼고 곧 OECD에 가입할 예정이다.

유례없는 활황이다.

한보와 삼미가 넘어진 건 그들의 깜냥이 그것밖에 안 되기 때문. 일개 헤지펀드에 무너진 태국 같은 나라와 한국은 급이 다르다.

한강의 기적을 이룬 나라 한국.

세계가 어려워도 한국은 결코 흔들릴 리가 없었다.

또한 일개 조직도 국가에 대항할 수 없었다.

무너진 국가들은 그만큼 병신 같은 거였다.

"에이, 머저리 새끼!"

부장은 침을 뱉었다.

한편 증권사를 빠져나온 그는 주먹을 꽉 쥐며 부들부들 떨었다.

"어머, 저 사람 좀 봐."

"쉬쉬, 보지 마."

산발이 된 머리에 인중을 적신 코피.

"야, 이 멍청한 새끼들아―!"

영국을 털어먹으면서 감을 잡은 조지 소로스가 태국 바트화를 공략해 무너트렸다.

거듭된 실전을 겪은 그들에게 빚잔치를 벌이고 있는 한국은 너무도 환상적인 먹잇감이다.

일개 조직에 국가가 무너질 리 없다?

그 일개 조직이 동원하는 돈이 수십조 원이다.

조지 소로스의 거듭된 승리를 지켜본 헤지펀드들이 달려들지 않을 리 만무.

그런데도 상부의 대처는 너무 안일했다.

정부의 대처도 마찬가지.

그의 눈시울이 붉어졌다.

"영국이 무너졌는데, 한국이 무너지지 않을 리 없잖아……."

그는 증권사를 보았다.

집안 사정에 박사 과정을 마치지 못하고 군대에 다녀온 후 첫 직장.

첫 출근을 했을 땐 전함보다 커 보였는데, 지금은 침몰하는 나룻배처럼 초라하게 느껴졌다.

"어떤 사람은 전화까지 할 정도로 심각하게 생각하는데, 왜 너희는……."

이럴 땐 배우지도 않은 담배를 피우고 싶었다.

딴, 따라라, 따라라.

클래식 음악이 원음벨로 울리는 작은 핸드폰.

"예, 박태규입니다."

―뭐해? 파란 줄, 빨간 줄 잘 보고 있어?

사내 박태규는 껄렁한 말투에 한숨을 내뱉었다.

초등학교 때부터 친구인 종식.

요새 뭘 하는지, 또 누구와 어울리는지 갑자기 환율이나 금 시세 등 자기답지 않은 걸 물어보며 불안케 하고 있었다.

"또 뭘 물어보려는 건데?"

─아, 살 만한 주식 있나 해서! 단숨에 오르는 걸로다가!

"사길 뭘 사? 지금은 있는 주식도 팔아……."

그는 입을 다물었다. 번뜩 드는 생각 때문이다.

'그래, 그 사람도 국가 부도에 베팅하고 싶다고 했잖아.'

오늘 받은 그 전화에 용기를 내서 사내 인트라넷에 국가부도론 보고서를 올렸다가 부장에게 언어터졌지만 그게 중요한 게 아니다.

'내 생각은 틀린 게 아니야!'

틀린 건 증권사고 여의도고 정부다.

그렇다면 답은 하나다.

'너희들이 못하겠다면, 내가 직접 한다!'

"너 지금 시간 있냐? 좀 만나자."

그는 눈을 붉히며 주차장으로 향했다.

* * *

'하, 이 자식?'

마침 일이 있어 행정실에 들렀다 전화를 받은 신성일의 입가에 미소가 번진다.

수고하라 말을 남긴 그는 유도부실로 향했다.

"시험……."

행정실에 들렀다가 들은 말이 떠올랐다.

교무실에서 운동부의 중간고사 성적을 두고 내기가 벌어졌다고 한다.

누구 때문에 나온 말인지 대충 예상이 가서 신경이 쓰였다. 유도부가 무시를 받는 것 같아 기분도 상했다.

'성적 잘 받을까?'

이리저리 고민하던 그는 혀를 찼다.

"에이, 운동부가 운동만 잘하면 되지. 공부는 무슨."

두 마리 토끼를 잡다가는 한 마리도 못 잡는 법이다.

포기한 그는 감독실의 문을 열었다가 멈춰 섰다.

타다다다닥!

컴퓨터를 뚫어져라 보며 타자를 두드리는 종혁.

그는 머리에 꽂히는 시선에 고개를 들었다.

"어, 감독님?"

종혁은 의아해했다.

시험 기간 동안 신성일 감독이나 박상묵 코치는 출근하지 않는다. 혹시라도 그들이 자리에 있으면, 심리적 압박을 받는 선수들이 운동을 나올까 봐서다.

시험 기간에는 시험만.

중간고사나 기말고사는 일요일을 제외한 일주일에 6일

을 운동하는 운동부의 공식 휴가다.

즉, 이 자리에 본래 없어야 할 두 사람이 마주친 것이다.

"이놈의 자식! 공부 안 해?!"

종혁은 그의 호통에 깜짝 놀랐다.

그건 호통을 친 신성일도 마찬가지다.

무려 아시안게임 동메달리스트 출신 형사에게 한판을 따냈다는 종혁.

몸만 천재가 아니라 테크닉도 천재였다.

거기다 그 경이로운 영어, 일본어 실력까지.

그는 두 마리 토끼를 다 잡을 유일한 놈이 딴 짓을 하고 있기에 자신도 모르게 호통을 쳤다가 아차 했다.

종혁은 안절부절못하는 그의 모습에 히죽 웃었다.

"시험은 평소 실력대로 보는 거죠."

그는 그러며 슬그머니 볼 마우스를 움직여 번역 문서를 켰다.

"그, 그렇지. 시험은 평소 실력대로 보는 거지."

헛기침한 그는 스쳐 지나가듯 말했다.

"시험은 잘 볼 수 있겠어?"

'음?'

운동부는 운동만 잘하면 된다는 마인드인 신성일 감독.

왜 이런 걸 물어보는지 몰라 잠시 의아했던 종혁은 이내 그가 걱정해 준다고 생각했다.

'뭔가 좀 다른 반응이긴 하지만…….'

그래도 존경하는 감독이 걱정해 주니 기분은 좋았다.

"평균 90점 이상은 맞지 않겠어요?"

"90점이나?! 그게 마음먹는다고 되는 거냐?"

"그만큼 열심히 공부했죠. 실망시키지 않겠습니다."

"실망은 무슨…… 크흠!"

그래도 안심이 됐던 그는 문득 드는 생각이 있어 조심스럽게 입을 열었다.

"종혁아, 혹시 너도 그 요약 노트 같은 거 만드냐?"

"예?"

"아니, 이 무식한 놈들도 공부했으면 해서 말한 건데, 못 들은 거로 해라! 유도선수가 유도만 잘하면 됐지! 암!"

'교장에게 무슨 말이라도 들었나?'

그렇지 않다면 신성일 감독이 성적에 신경 쓸 이유가 없었다.

'흠, 조금이라도 은혜 갚는 셈 치자.'

회귀 전 방황할 때 등교와 하교, 집까지 쫓아오며 종혁을 달래고 혼내던 그.

정신을 일찍 차릴 수 있었던 데는 신성일의 노력이 컸다.

'……전생엔 못 갚은 그 은혜, 이제부터라도 갚겠습니다.'

종혁은 옆에 놓은 책가방에서 연습장 두 권을 꺼내 들었다.

"여기요. 그냥 외우기만 해도 한 번호로 찍는 것보다는 많이 맞을 겁니다."

신성일의 몸이 크게 흔들렸다.

"어흠, 이걸 바란 건 아닌데……."

"대신 중간고사 동안 컴퓨터 좀 쓸 수 있을까요? 공부 하게요."

"그럼! 당연하지! 번역은 중간고사 끝나고 해! 그럼 이 거 복사 좀 한다?"

"예."

"나는 다녀올 테니까 냉장고에서 음료수 꺼내 마시면 서 해."

"다녀오세요."

고개를 끄덕인 신성일이 감독실을 나서자, 종혁은 번역 문서를 종료하며 다시 한글 파일을 켰다.

〈법정 관리가 유력한 기업 목록〉

광역수사대를 거쳐 지능범죄수사대 팀장이 되기까지 금융감독원과 공조 수사를 제법 이뤘다.

그리고 금융, 경제 사범들을 잡다 보면 그놈들이 과거 에 무슨 수법으로 죄를 저질러서 징역을 살았는지까지 알게 됐다.

지금 작성하는 건 그렇게 쌓인 데이터였다.

환치기상, 사기꾼, 조폭, 사체업자, 은행원, 돈 밝히는 구의원.

대기업뿐만 아니라 중견, 중소기업, 환율까지.

거의 예언서라고 볼 수 있었다.

'이걸로 얼마나 벌 수 있을까?'

그의 가슴이 설레기 시작했다.

* * *

열심히 일한 직장인의 3박 4일 휴가는 3.4초인 듯, 중간고사 시험도 빠르게 끝났다.

'오케이, 아슬아슬하게 90점이네.'

"말도 안 돼. 말도 안 돼. 말도 안 돼⋯⋯."

넋이 나간 소녀의 얼굴이 일그러졌다.

"그게 어떻게 5번이야! 3번이잖아―! 허어엉!"

갑자기 울음을 터트려 버린 소녀.

'어이쿠.'

기겁하며 물러난 종혁은 의아할 수밖에 없었다.

소녀가 종혁을 째려봤다.

"아니, 내가 뭘⋯⋯."

"흐어엉, 엄마."

"아, 아니⋯⋯."

통곡하며 반을 나가는 소녀를 향해 뻗어진 손이 애처롭게 허공을 휘저었다.

반 아이들의 표정도 나빠졌다.

'내가 뭘 어쨌다고!'

종혁은 억울함을 담아 소영을 바라보았고, 그녀가 왜 우는지 알고 있는 소영은 어색하게 웃을 수밖에 없었다.

매일 교실에서 공부만 하던 그녀.

그런데 한 문제 차이로 운동부에게 등수가 밀렸다. 억울하고 서러울 수밖에 없었다.

소영 본인이라도 같은 상황이었다면 울고 싶었을 것이기에 그 심정이 이해가 갔다.

"뭘 새삼스레 그래. 여자들 원래 걸핏하면 우는 거 몰라?"

"……."

소영이 수호를 봤다.

일진 사건 이후 뇌와 입 사이의 필터가 사라진 깐죽이.

"……어휴, 남자들이란."

"뭐래, 전봇대가."

여자치곤 키가 좀 큰 소영. 수호보다 크다.

덥썩!

소영이 수호의 밤송이머리를 움켜쥐었다.

"야, 놔라. 나 여자도 때린다고 했다."

"밤톨, 이 누나가 전봇대라고 부르지 말랬지?"

"누가 누나야! 나보다 생일도 느리면서!"

종혁은 또 싸우는 둘을 무시하고 울면서 나간 학우를 떠올리다 고개를 저었다.

'뭐, 이해가 되지 않는 것도 아니지만…….'

종혁도 승진 시험에서 문제 하나 틀리면 얼마나 가슴

쓰렸는지 몰랐다.

하지만 이렇게 울 정도는 아니었다.

"학생은 그냥 힘차게 뛰어노는 게 최곤데 말이야."

이렇게 공부에 목숨을 거는 것보다는 뛰어놀다 머리도 좀 터지고, 어디 좀 부러지며 추억을 쌓는 게 좋았다.

후에 술 한잔 기울이며 그땐 그랬지라고 웃을 추억을.

고등학생 때는 좋은 대학에 가기 위해선 공부에 목숨 거는 게 맞다.

실제로 그도 그렇게 하고 있고.

그래도 인생 선배로서 이렇게까지 죽을 둥 살 둥 살지 않았으면 했다.

"종혁아."

"음?"

"재수 없어."

"……?!"

종혁은 책가방에서 휴지를 꺼내 들고 나가는 소영을 막연히 보았다.

"……끙, 역시 여자는 이해하기 어렵구만."

사춘기가 올 시기라서인지 더 그런 것 같았다.

"종혁아, 여자가 아니라 그냥 쟤가 이해되지 않는 거야. 어휴, 저 미친 애를 누가 데려갈지."

종혁은 수호를 멍하니 보았다.

혀를 차던 수호가 종혁을 보며 주먹을 꼭 쥐었다.

"종혁아, 시험도 끝났는데……."

"응?"

박수호는 눈을 질끈 감았다.

"우리 오락실 갈래? 내, 내가 낼게!"

마치 크게 용기를 낸 듯한 모습에 종혁은 탄식을 터트렸다.

"이거 어쩌지? 약속 있는데……."

"아, 그래? 그, 그럼 어쩔 수 없지. 하하……."

수호는 눈앞이 깜깜해졌지만 애써 웃었다.

그간 같이 공부하며 친해졌지만, 더 친해지기 위해 겨우 낸 용기.

하지만 안 될 놈은 안 되는 것 같았다.

'하긴 난 잘 맞아 봐야 78점이니까…….'

평균 90점이 유력한 종혁과 레벨이 달랐다.

'음.'

종혁은 수호를 보며 입맛을 다셨다.

'어쩔 수 없나.'

생각해 보면 학교 폭력 사건 때 용기를 낸 것에 대해 보답을 하지 않았다. 분식은 수호를 테이블에 앉히기 위한 뇌물일 뿐이었다.

"같이 갈래?"

"정말?!"

"한 3시간 정도는 혼자 있어야겠지만. 저녁 먹고 오락실 가자."

"……응!"

세상 환하게 웃는 그 모습에 종혁도 절로 웃음이 나왔다.

'그런데 이놈들은 점수 잘 맞았는지 몰라?'

같은 1학년 유도부원들.

외우기만 하면 되는데 그걸 제대로 했을지가 걱정되었다.

                        *   *   *

여의도 커피숍에 앉은 박태규는 엉덩이를 들썩였다.

처음으로 국가부도론에 찬성한 사람을 만난다.

가만히 있을 수가 없었다.

오늘 늦은 오후에 친구 종식이 잡은 투자자와의 식사 겸 미팅보다 훨씬 더 기대됐다.

그는 앞에 놓인 에스프레소 추출기를 주욱 눌렀다.

이름도 어려워 여의도 명물이 된 에스프레소.

체크무늬 스펀지 소파에 앉은 직장인들 앞에는 이 추출기가 하나씩 놓여 있다.

"으, 써. 이걸 대체 무슨 맛으로 먹는 건지……."

딸랑!

고개를 들었던 그는 작게 실망했다.

"허, 대학생도 아니고 고등학생이 카페에 오다니. 세상 참 많이 좋아졌어."

곳곳에서 최루탄이 날아다니던 게 엊그제 같은데, 어느새 고등학생도 카페에 오는 시대가 되었다.

그건 그만의 생각이 아닌 듯 카페 안에 앉은 직장인들

모두 신기하다는 듯 보았다.

"이걸 보면 활황은 활황이지만……."

"빛이라는 모래 위에 쌓은 환상일 뿐이죠."

고개를 든 박태규는 화들짝 놀랐다.

카라 셔츠에 베이지 면바지.

무서울 정도로 덩치가 큰데, 굉장히 앳된 얼굴이었다.

'이 시대 카페는 이랬나?'

회귀 전 옛날 호프집과 별반 다를 게 없는 스펀지 소파.

주문을 받기 위해 다가오는 종업원.

저 멀리 DJ 박스가 있었던 흔적도 있었다.

'아.'

종혁은 그에게 손을 내밀었다.

"반갑습니다. 최종혁입니다."

벌떡 일어난 박태규가 손을 잡았다.

"서동증권 자산관리팀 대리 박태규입니다."

"이름 많이 들었습니다. 입사 이후부터 매년 15퍼센트 이상의 수익률을 내셨다면서요?"

말이 연 15퍼센트 수익률이지, 몇 년이면 원금의 두 배다.

빚 없이도 집 사고, 차 사고, 자식 대학도 보내던 칠팔십 년대 은행 이자보다 약간 못한 수준.

"하하, 과찬이십니다."

'어린가?'

분명 고등학생 같은데 분위기가 묵직하다. 그래서 나이

를 가늠할 수 없었다.

종혁에게 자리를 권하고 앉은 박태규가 입을 열었다.

"그런데 제 기획서는 어떻게 읽으신 건지……."

종혁은 뜨끔했지만 준비된 답을 내밀었다.

"아는 분이 그쪽에 계셔서 우연히 읽게 됐습니다."

"……아아."

'재벌은 아닌데.'

몸에 걸친 옷가지가 명품이 아니다.

이런 시선을 눈치챈 종혁은 얼른 가져온 서류를 내밀었다.

"박 대리님의 이론에 제 나름대로 추가해 봤습니다."

"아, 그러신가요?"

박태규는 무심코 제목을 봤다가 그대로 얼어 버렸다.

〈법정관리가 유력한 기업 목록〉

다급히 내용을 살핀 그는 경악하며 종혁을 보았다.

어느새 등받이에 등을 묻은 종혁은 다리를 꼬았다.

"마음에 드십니까?"

'이, 이건 보물이야!'

보물 수준이 아니다.

문화재다. 예언서다.

허황된 말들이 많지만, 바꿔 생각하면 이 정도는 무너
져야 그가 생각하는 국가 부도라 할 수 있다.

그는 다급히 다음페이지를 찾았다.

하지만 없었다.

다급히 종혁을 본 태규는 낯빛을 굳혔다.

'역시 다 줄 리 없지!'

하지만 이 정도 만해도 살이 떨린다.

박태규 본인이 조지 소로스의 공격에 무너질 한국에 대해 밑그림만 그렸다면, 종혁은 세심한 붓질까지 마친 수준.

그렇기에 무섭다. 두렵다.

국가부도론을 떠들던 그조차도 눈앞이 안 보일 정도다.

'이게 커핀지 뭔지.'

블랙커피, 카페라떼, 카푸치노.

메뉴가 달랑 세 개라 시켰던 카푸치노의 맛이 밍밍했다.

이런 종혁의 마음을 모르는 박태규는 역시 이런 걸 예측한 사람답게 세상 모든 근심이 담긴 종혁의 좁혀진 미간을 보며 마른침을 삼켰다.

"최, 최종혁 님이 최종적으로 예상하시는 게 뭡니까?"

"IMF."

"……?!"

"이 한국은 IMF에게서 긴급수혈자금을 받고 경제 제재도 받게 될 겁니다."

쿠당탕!

사람들 시선이 모였다.

그러나 의자를 내팽개치며 일어난 박태규는 신경 쓸 수 없었다.

"차입예약협정이 아니란 말입니까?!"

마이너스 통장에 가까운 차입예약협정.

이걸로 끝난다면 그나마 어떻게든 회생할 수 있겠지만, 긴급수혈자금은 다르다.

긴급수혈자금을 받는 순간부터 대한민국은 IMF의 지시에 따라 경제 운영을 해야만 한다.

사실상 경제 주권을 빼앗기는 거나 다름없었다.

"한국 기업들의 부실이 너무 큽니다. 외화 보유량도 극히 적고요."

대통령의 경제 정책인 국민총소득 1만 달러 이상, OECD가입을 위해 원화고평가를 해야 되다 보니 외화를 마구잡이로 팔아 치웠다. 또 아직도 팔아 치우고 있는 중이다.

한국은 정신력으로 버틸 수준의 맷집조차 상실하고 있었다.

"흔희 대마불사라고 하죠. 하지만 이 한국에는 그 대마가 너무 많습니다."

박태규의 얼굴이 딱딱하게 굳었다.

"정경 유착……."

옛날 군부독재시절부터 떼려야 뗄 수 없는 정부와 기업의 관계.

문민정권이 들어섰다지만, 아직도 기업과 정부는 한 몸

이다.

"그리고 더 없을 활황에 자만심도 커졌죠. 힘들어도 이 위기만 넘기면 될 거다. 그 근본 없는 희망에 눈앞이 가려진 한국은 지옥에 굴러 떨어지고 나서야 깨닫게 될 겁니다. 어떻게든 끌어안으려 했던 그 대마들이 사석이었다는 걸."

혹여 굴러 떨어지기 직전에 깨닫는다 하더라도 외환보유고가 극히 적다. 한국은 미리 예약한 저승행 티켓을 스스로 끊다 못해 열차에 오를 것이다.

철렁!

박태규의 심장이 내려앉았다.

"그런…… 아무리 그래도……."

종혁은 믿지 못하는 그의 모습에 고개를 끄덕였다.

곧 있을 한국의 미래는 그가 예상하는 국가 부도보다 훨씬 처참하기 때문이다.

인간의 상상을 벗어난 몰락.

종혁은 여기까지 하기로 하고는 서류를 빼앗아 몸을 일으켰다.

"함께할 생각이 있으시면 이 번호로 연락 주십시오. 참고로 투자금은 1억 정도입니다. 제가 그 이상 돈을 쓰기 힘들다 보니."

"아, 잠깐만요!"

종혁은 뒤도 돌아보지 않고 카페를 빠져나갔고, 함께 빠져나가는 작은 학생을 보지 못한 박태규는 멍하니 문을 보았다.

"……긴급수혈자금이라고?"

차입예약협정이 대출이라면, 긴급수혈자금은 대한민국의 안주인이 바뀐다는 소리다.

그것도 인정사정없는 계모로.

정말 최악으로 치달아 봐야 차입예약협정 정도만 생각했던 그의 등이 식은땀으로 흥건히 젖었다.

"커피 비싸."

"맛있지도 않아. 자판기 커피가 더 맛있을 것 같아."

한편 밖으로 나온 종혁은 무슨 일이었냐며 초롱초롱 쳐다보는 박수호와 김소영의 눈빛을 외면했다.

말이 심했다고 슬그머니 사과해 왔던 소영.

늦었다고 종혁이는 나랑 오락실 갈 거라는 수호의 말에 그녀는 자기도 함께 가겠다 떼를 썼다.

그렇게 함께 왔지만, 고작 17살인 둘에겐 설명하기 힘든 내용이었다.

"자, 이르지만 간단하게 밥 먹고 오락실……."

부우웅!

종혁은 눈앞을 스쳐 지나가는 각그렌저에 입을 다물었다.

뒷좌석에 거만하게 앉아 있던 파마머리.

종혁의 고개가 차를 쫓아 돌아갔다.

"왜 그래?"

"……아니야. 가자."

'아니겠지. 그 자식이 여의도에 왜 있어. 아킬레스 끊어
지게.'

종혁은 잘못 봤다 생각하고는 수호의 등을 쳤다.

"여의도에 왔으니까 부대찌개나 먹자."

"부대찌개? 그게 뭔데?"

"먹어 보면 알아."

'하, 부대찌개엔 소주인데.'

종혁은 아쉬워하며 옛날의 그 맛집으로 향했다.

* * *

'왜 연락이 안 올까.'

절반의 자료만 보여 줬다.

분명 입질이 와야 하는데, 사흘이 지난 지금까지도 함
흥차사다.

더욱이 오늘은 증권거래를 못하는 토요일.

먹튀란 단어가 떠올랐다.

하지만 회귀 전 박태규를 떠올린 종혁은 고개를 저었
다.

'금융 사기에 휘말렸다는 걸 깨달았어도 그럴 리 없다
며 패거리를 변호하던 양반이었지.'

인생에 굴곡 없이 좋은 사람만 만난 착한 사람.

딱 그랬다.

그렇다고 먼저 연락을 하자니 주도권을 넘기는 것 같아

서 싫었다.

"후우. 골치 아프구만."

누가 박태규의 근황이라도 알려 줬으면 싶었다.

드르륵! 우당탕!

"앉아! 창문 열고!"

상념을 접은 종혁은 미간을 좁혔다.

이쪽을 보는 담임의 눈빛이 불쾌함으로 가득하다.

'또 왜?'

"쯧."

시선을 뗀 담임이 반 아이들을 둘러보았다.

"드디어 너희들이 기다리던 성적표가 나왔다."

"악!"

"으으……."

종혁은 자세를 바로 했다.

'오늘 저녁엔 엄마 웃는 거 볼 수 있겠네.'

생각 만해도 뿌듯했다.

"평균 100점 이하는 1점 당 한 대씩 맞을 테니까 호명하는 순서대로 나와. 강만식."

"넥?!"

고개를 푹 숙인 1번은 성적표를 받아 들곤 칠판을 잡고 섰다.

"78점이니까 22대다. 꽉 잡아라. 허리 부러진다."

"네, 네."

1번의 다리와 턱이 덜덜 떨렸다.

부웅!

당구 큐대가 크게 휘둘러졌다.

터억!

작은 소리.

어두운 낯빛으로 눈을 질끈 감았던 학생들은 의아해하다 이내 환하게 웃었다.

매질이 약하다.

'담임 좋은 사람이었어?'

이 시대, 학생을 약하게 때리는 선생이 좋은 선생이었다.

학생들이 행복해 하는 것과 다르게 종혁은 의아해했다.

'저 양반이 저럴 리 없는데?'

그의 기억상 담임의 별명은 피로 물든 큐대였다.

그러다 종혁의 차례가 되었다.

"90점…… 후. 엎드려."

"예."

담임은 칠판을 잡는 종혁의 모습에 이를 악물었다.

'주는 거 없이 미운 새끼. 애비 없는 새끼가 사사건건!'

그는 종혁의 두툼한 엉덩이를 향해 풀 스윙을 했다.

뻐어억!

"……?!"

종혁도 놀라고, 학생들도 놀랐다.

그러나 선생은 이를 악물며 더 강하게 매를 휘둘렀다.

뻑! 뻑! 뻑!

한 대 한 대 혼신을 다해 때린 매질.

"후욱! 후욱! 들어가─!"

"……예."

몸을 돌린 종혁은 헛웃음을 터트렸다.

'이제야 알겠네.'

피로 물든 큐대가 종혁 본인만을 타깃으로 삼았다.

아릿한 엉덩이와 허벅지만큼 기분이 더러웠다.

"진짜 담임 이상해! 왜 너만 그렇게 세게 때려?"

쉬는 시간.

소영이 발을 동동 굴렀다.

종혁은 한숨을 내뱉었다.

그냥 찍힌 거다. 담임에게 종혁 본인은 그냥 미운 사람.

이러면 답도 없었다.

"종혁아, 그…… 지금 이런 말을 하는 게 좀 그렇지만 우, 우리 집에 놀러 올래?"

"음?"

"엄마가 같이 공부해 줘서 고맙다고, 맛있는 거 해 주신대……."

평균 96점. 중간고사 답안지를 맞춰 봤을 때 나온 이 점수에 그녀의 부모는 크게 기뻐하며 함께 공부한 종혁을 초청했다.

하지만 그걸 말하기가 왠지 쑥스러웠던 소영은 성적표가 나오기 전까지 모른다고 스스로에게 변명을 해 가며 미뤘다.

그러나 성적표가 나온 지금은 더 이상 미룰 수가 없었다.

답지 않게 꼼지락 거리는 그녀의 모습에 종혁은 피식 웃었다.

'귀엽구만, 귀여워.'

그렇다 보니 짓궂은 마음이 들었다.

"오락실 가고 싶은 게 아니라?"

난생처음 왔다던 오락실에서 날라 다닌 소영.

소영의 얼굴이 확 붉어졌다.

"그게 아니라!"

"그래, 그러지 뭐."

"진짜?!"

대수로운 일도 아니었기에 종혁은 고개를 끄덕였고, 소영의 얼굴은 밝아졌다.

그런 둘을 본 수호는 입술을 깨물었다.

"익! 나도 엄마, 아빠가 불렀는데!"

"응?"

시선이 모이자 수호는 철렁하는 가슴에 고개를 숙였다.

"나, 나도 엄마랑 아빠가 나 구해 줘서 고맙다고……
같이 공부해 줘서 고맙다고 초대했는데……."

혹시라도 종혁이 거부할까 봐 더 친해진 후에 말하려고 했었다.

그런데 소영이 먼저 선수를 쳤다. 그 순간 수호는 소영에게 종혁을 뺏기는 것만 같았다.

"뭐야! 밤톨, 내가 먼저 말했거든!"

"아니야! 내가 먼저야! 절대 먼저야─!"

눈시울이 붉어지는 수호의 모습에 종혁은 재빨리 손을 뻗었다. 솥뚜껑처럼 두툼하고 큰 손바닥이 둘의 시야를 가렸다.

종혁은 수호를 봤다.

'말하기가 힘들었구나.'

오랜 괴롭힘에 많이 낮아진 자존감.

종혁은 이제야 말을 꺼낸 그의 마음을 이해했다.

"사이좋게 같이 가면 되는 걸 가지고 뭘 또 싸워. 일단 소영이 집부터 가고, 그다음엔 수호 네 집에 가자."

둘의 표정이 엇갈렸다.

종혁은 낙담하는 수호의 머리를 토닥였다.

"남자잖아, 인마. 이 정도는 양보해라."

'대신 소영이 집 냉장고 싹 다 털어 버리자.'

종혁의 귓속말에 수호는 깜짝 놀랐다. 그리곤 이내 얼굴이 확 밝아졌다.

"뭐 좋아. 내가 남자니까 양보할게."

"밤톨 주제에 뭐래."

"이게 진짜!"

다시 밝아진 둘의 모습에 종혁은 남몰래 한숨을 쉬었다.

'애 보기 힘들구만.'

* * *

"종혁아-!"

"음?"

점심을 먹고 유도부실에 도착한 종혁은 우다다 달려오는 신성일의 모습에 의아해했다.

덥썩!

신성일은 입꼬리를 찢으며 종혁을 안아 들었다.

"어이구 예쁜 새끼! 내 보물 새끼!"

'뭐야? 뭔데?'

그런데 이뿐만 아니다. 1학년 부원들도 초롱초롱한 눈을 한 채 모였다.

"고마워, 똑땡. 덕분에 나 뒤에서 10등 했어! 나 이런 점수 처음이야!"

"난 평균 32점 맞은 거 있지? 내 인생 최고의 점수야! 엄마한테 전화하니까 거짓말하지 말라고 막!"

"난 엄마가 나이키 운동화 사준대!"

"엄마가 맛있는 거 해 준대! 고맙다고 너 꼭 데려오래!"

그제야 상황을 파악한 종혁은 웃었다.

"뭘, 너희들이 잘 외운 거지. 그 점수 맞느라 수고했다."

종혁은 1학년 부원들을 토닥였고, 그들은 한 번 더 헤맑게 웃었다.

그러던 종혁은 흐뭇해하고 있는 감독을 보았다. 이들이야 성적이 올라가서 좋다지만, 감독이 좋아할 이유가 없었기 때문이다.

아니, 정확히는 이렇게까지 좋아할 일인가 싶었다.

"흐흐. 네 덕분에 다른 선생들 콧대 확 눌렀다. 앞으로도 잘 부탁한다."

"예?"

"흐흐. 아무튼 이걸로 더 이상 우리 유도부 두고는 내기 못할 거다!"

'······!'

순간 종혁의 머릿속에서 퍼즐이 맞춰졌다.

'졌구만, 그 양반. 에라이, 밴댕이 소갈딱지 같으니!'

이제 담임도 주는 것 없이 미운 사람이었다. 원래부터 그랬지만 말이다.

혀를 찬 종혁은 눈치를 살폈다.

"저 감독님."

"응? 왜?"

"죄송하지만 오늘 일찍 퇴근, 아니 하교해도 되겠습니까? 같이 공부한 친구 부모님이 초대해서 말입니다."

종혁은 조심스러웠다. 운동부에게 오직 일요일만이 휴일이기 때문이다.

"······좋아! 기분이다! 1학년들 성적도 잘 맞았으니까 오늘은 쉬자!"

종혁 뿐만 아니라 운동을 준비하던 부원들의 눈이 동그

래졌다.

신성일 감독은 2학년, 3학년을 둘러봤다.

"너희도 내가 이런 말 할 수 있도록 노력해 봐! 알았어?"

'아니, 잠깐?!'

종혁은 다급히 선배들을 보았다.

그리고 아찔해졌다. 이른 하교에 환호성을 지르려고 했던 그들의 얼굴이 구겨졌기 때문이다.

* * *

앞으로의 유도부 생활에 걱정이 한가득 짙어지던 사이 소영의 집에 도착했다.

"여기가 우리 집! 아, 종혁이 넌 알지?"

소영이 의미심장한 미소를 짓자 종혁은 풀썩 웃었다.

당연히 알 수밖에 없다.

회귀의 시작점이자 소영과의 첫 만남이 이뤄진 장소.

3미터 높은 담벼락이 참 친숙하게 다가왔다.

"응? 뭐야, 소영이 집 와 봤어? 나 몰래?"

배신이었다.

수호의 얼굴을 본 종혁은 얼른 그때의 일을 설명했다.

"……칫. 그게 우리 집이었어야 했는데."

"히힛!"

"이익!"

넌 보물이야 〈181〉

이마를 잡은 종혁은 소영을 봤다.

승리자 콧대를 세운 그녀는 벨을 눌렀다.

삐용! 삐삐삐삐삐!

이름 모를 새소리.

―누구세요?

"학교 다녀왔습니다!"

현관까지 나왔던 소영의 어머니는 종혁의 덩치를 보곤
깜짝 놀랐다. 그러다 곧 눈을 빛냈다.

'이 아이가 우리 집 담벼락을 넘은 그 아이?'

소영이 재잘댄 종혁이란 아이.

운동도 잘하고, 공부도 잘한다는.

"어서 오렴. 너희가 소영이랑 같이 공부해 준 친구들이
라고?"

"안녕하십니까, 어머님. 최종혁입니다!"

"바, 박수호입니다."

"그래. 어서 오렴. 난 소영이 엄마야."

"소영이가 누굴 닮았나 했더니 어머니를 꼭 빼닮았네요."

"어머?"

그녀는 아하핫 웃음을 터트렸다.

"아, 이건 첫 방문에 빈손으로 오기 그래서 가져온 겁
니다."

소영의 어머니는 종혁이 내민 델몬트에 다시 웃음을 터
트렸다.

어떻게 사 올 생각을 했는지 큰 유리병에 담긴 델몬트 오렌지 주스. 아이답지 않은 행동이었다.

하지만 그래서 마음에 들었다.

"내 집이다 생각하고 들어와. 지금 음식 하는 중이니까 소영이 넌 그동안 친구들 집 구경시켜 줘."

"응! 들어와, 애들아!"

"실례하겠습니다."

신발을 벗고 들어온 종혁은 거실을 둘러봤다.

미래엔 찾아보기 힘든 제법 큰 사이즈의 브라운관 TV와 벽지 대신 붙어 있는 나무벽.

샹들리에처럼 생긴 천장 전등과 갈색 소파.

옛 느낌이 물씬 풍기고 있었다.

'하지만 이때는 이게 부의 상징이었지.'

중산층 이상의 인테리어.

종혁은 옛 추억에 아련히 젖어 들며 소영의 뒤를 쫓았다.

"여기가 안방이고, 여기는 아빠 서재."

'아버님이 교수신가?'

서재에 꽂혀 있는 고전 문학이나 작문법 책들.

이 시기 소설가는 이 정도로 잘살지 못하니 아무래도 대학 교수가 아닌가 싶었다.

'집에 욕조도 있네.'

그렇게 1층을 탐방한 7들은 2층으로 향했다.

"여기는 이모 방."

"이모?"

"응. 같이 살거든."

그건 좀 신기했다.

책장에 꽂혀 있는 책들도 신기했다.

'경영학 서적? 주식?'

무척 신기해 방 안으로 들어갔던 종혁은 책상 위를 보곤 그대로 굳어 버렸다.

'이게 여기 왜 있어?'

널브러져 있는 A4 용지들.

프린트 된 글귀에 자필로 주석을 달아 놓았다.

그중 커다랗게 적힌 글귀 하나가 문제였다.

〈법정관리가 유력한 기업 목록〉

홀린 듯 살핀 종혁은 미간을 좁혔다.

'기업 목록이 부족하다?'

형사의 촉이 서며, 개코가 꿈틀거렸다.

구린내가 풍기고 있었다.

"소영아, 이모가 뭐 하는 분인지 알아?"

종혁이 딱딱하게 굳은 얼굴로 소영을 보았다.

* * *

스르륵.

검은색 다이너스티 한 대가 멈춰 서고, 선글라스를 낀 삼십대 초반의 긴 생머리 미녀가 내렸다.

여성용 정장 바지와 붉은 구두를 신어 세련됨을 뽐내는 미녀, 권아영은 주영태권도라는 간판이 달린 허름한 2층 건물을 보며 혀를 찼다.

"수준 하고는."

지나는 사람들이 그녀를 보며 수군거린다.

화려하지 않아도 눈길을 사로잡는 분위기가 권아영에 겐 있었다.

자신에게 모여드는 시선에 그녀의 콧대가 높이 세워졌다.

지이잉!

"네, 권아영입니다."

ㅡ나다.

품속에서 작은 핸드폰을 꺼내 든 그녀의 표정이 굳었다.

깐깐함이 가득한 늙수레한 음성.

"또 왜 전화하셨는데요?"

ㅡ아직도 마름 짓 하냐?

"마름 짓이 아니라 프라이빗 뱅커라고 몇 번 말해요?"

아직 한국에선 그 개념조차 불확실한 PB.

거액 예금자를 상대로 고수익을 올릴 수 있도록 컨설팅을 해 주는 금융 포트폴리오 전문가.

그녀는 은행이 아닌 개인으로 활동하는 컨설턴트다.

-흥! 사람을 부리는 게 아니라 사람들에게 부림을 당하니 마름이지. 내 마름이 아니라 지주가 되라고 누누이 말했거늘! 이럴 줄 알았다면 널 미주에 보내지 않았을 거다!

"미주가 아니라 미국! 유나이티드…… 하아, 됐고. 무슨 일이에요? 그놈의 마름 짓 그만하고 시집가라는 거면 끊어요."

-네 종잣돈과 인맥은 내가 빌려준 거야!

"그건 감사해요."

-네 언니를 봐라! 평강공주처럼 김 교수 만나서 소영이 낳아 얼마나 행복하게 사냐! 아들 못 낳은 게 흠이지만!

"그건 언니 행복이고, 제 행복은 달라요."

-월 스트릿인지 지랄인지가 애를 다 버려 놨어! 거기서도 차별받았다면서! 여자라면 자고로…….

"끊어요, 아빠."

-계속 이렇게 반항할 거면 그만 놀고 들어와!

"끊어요. 사랑해요."

-아님 다 토해 내든가-!

전화를 끊은 그녀는 입술을 깨물었다.

"이번 일만 잘되면 나를 다르게 보게 될 거예요."

표정을 정리한 그녀는 다시 도도함을 몸에 두르며 건물을 올라 철제문을 열었다.

끄그극!

초록 매트와 컴퓨터 십여 대가 그녀를 반긴다.

"어이구, 권 PB! 왔어?"

소파에 앉아 껄렁하게 인사하는 파마머리 삼십대 후반 중년인과 90도 꾸벅 인사하는 덩어리들.

말끔하게 정장을 입었다지만 그 천박한 근본은 숨길 수 없다.

거액의 투자도 투자지만, 국가 부도를 기반으로 한 포트폴리오가 아니었으면 평생 만나지 않았을 인간이었다.

"잘되고 있나요?"

"그럼-! 우리 귀중한 일꾼들께서 열심히 하고 계시지. 어, 저기 일꾼 대장 나오네."

컴퓨터 앞에 앉은 어두운 낯빛의 사람들.

안쪽 화장실에서 또래의 사내가 젖은 머리를 털며 나온다.

"오셨어요……."

세상 다 산 듯 힘없는 말투.

'쯧.'

마치 약점이 잡혀 끌려온 듯 억지로 하는 티가 팍팍 나는 그.

그러나 이곳에 있는 이들이 어떤 사정으로 모여 있는지는 그녀에게 중요한 일이 아니었다.

'중요한 건 이번 베팅이 성공해야 한다는 거야.'

동남아 위험 자산에 투자했다기 기하게 말아믹은 종금사(종합금융회사)들.

월가 친구들에게 듣기로 해외 금융 기관들도 만기 연장을 거부하려는 움직임을 보인다고 한다.

여러 데이터가 대한민국의 국가 부도를 가리켰다.

다른 이들의 목적이 어떠하든, 그녀는 아버지의 인정을 받기 위해서라도 이번 투자를 반드시 성공시켜야만 했다.

그러기 위해선 이번 일을 예측한 이 사내의 도움이 필요했다.

"박 팀장, 잘하고 있어요?"

"방금 전에 모두 설치 끝냈습니다."

"어디 봐요."

모니터를 살핀 권아영은 고개를 끄덕였다.

홍콩에서 구입해 온 주식 거래 프로그램 등 이 판을 씹어 먹을 준비물들.

최신형 팩스가 잘되는지까지 확인한 그녀는 파마머리를 보았다.

"좋아요. 앞으로 오더 잘해 주길 바라요, 컨트롤 타워 씨."

힘없는 미소를 뒤로한 그녀는 파마머리를 보았다.

"괜히 욕심내서 파투 내지 말아요, 김 사장님."

권아영의 눈빛이 차가워지자 파마머리 김 사장은 장난스레 몸을 떨었다.

"어후, 무서워라. 그런데 그건 내가 할 말이야, 권 PB. 서로 신의 지키자고. 나 아주 무서운 사람이거든."

뱀처럼 날카롭게 떠진 눈.

코웃음을 친 그녀는 주영태권도를 나섰다.

"하아."

어느새 어두워진 밤, 집에 도착한 그녀는 단발머리를 쓸어 올렸다.

"잘되면 좋을 텐데……."

모든 게 착착 준비되고 있지만 판돈이 많이 부족하다.

'비상금을 쓸까?'

해외 페이퍼 컴퍼니에 묻어 놓은 마지막 보루.

혹여 잘못돼 망하더라도 다시 일어설 자금을 떠올리던 그녀는 고개를 저었다.

"그건 절대 건드려선 안 되지."

열쇠로 정문을 열고 들어간 그녀는 현관문을 열었다가 놀랐다.

"다녀왔어!"

"왔니?"

"응. 그런데 누구 왔어?"

"소영이 친구들. 지금 소영이 방에서 놀고 있어. 일은? 오늘도 힘들었지?"

"응?"

방에 들어온 권아영은 미간을 좁혔다.

"언니, 혹시 내 책상 정리했어?"

"응? 아니?"

"근데 왜……."

너무도 소중한 자료인 〈법정 관리가 유력한 기업 목록〉

이 정리되어 있다.

"아아, 아까 소영이가 친구들 집 구경시켜 줬을 때 만졌나 보다."

"아니, 왜 내 방을 들어오게 한 거야! 아, 진짜!"

짜악!

"그럼 알아서 치우던가, 이년아! 제 아빠 닮아 스스로 방도 못 치우는 년이 말이 많아!"

이렇게 시끄러워지자 2층의 자기 방에 있던 소영이 종혁, 수호와 나왔다.

"이모!"

"안녕하세요!"

권아영은 등짝을 얻어맞은 분노를 소영에게 토해 냈다.

"야, 김소영! 이모가 책상은 만지지 말랬지!"

"이년이 지금 내 귀한 딸한테!"

갑자기 한 소리 들은 소영은 얼떨떨했지만, 종혁은 달랐다.

'권 마담?!'

훗날 금융감독원과 공조 수사를 하며 알게 된 여인.

부자들과 정치인의 재산을 관리하며 그 인맥이 엄청나 검사도 함부로 건드릴 수 없던 여인인데, 금융감독원의 수사에 정보 제공이나 수사비 지원 등의 도움을 줄 만큼 호인이었다.

상류층 젊은 여성들의 워너비, 롤 모델 중 하나다.

'권 마담이 소영이 이모였어? 뭐 이런?! 아니, 지금 이게 중요한 게 아니지.'

눈을 빛낸 그가 한 발 나섰다.

"아, 죄송합니다. 제가 그랬습니다, 소영이 이모님. 저희 외삼촌이 만들던 자료와 아주 비슷해서요."

"⋯⋯외삼촌?"

"네, 박태규라고⋯⋯ 혹시 아세요?"

"박태규? 박 팀장?"

'역시 아는구만.'

왜 구린 냄새가 나나 싶었다.

종혁은 일부러 놀란 표정을 지었다.

"아세요?"

"와, 박 팀장 조카가 내 조카 친구라니. 어떻게 이럴 수 있지?"

"그건 제가 하고 싶은 말이네요. 그러면 혹시 저희 외삼촌과 연락되시나요? 요새 연락이 안 돼서 엄마가 걱정이 많으시거든요."

"아, 지금 비밀리에 진행하는 프로젝트가 있어서 집에 연락 못 한다던데⋯⋯."

'음.'

그 말에 구린내가 더 심해지고, 촉이 더 날카롭게 섰다.

'이거 뭔가 있다!'

종혁은 허리를 숙였다.

"부탁드립니다!"

"음…….."

소영이 어머니가 권아영의 옆구리를 찔렀다.

'해 줘.'

'아, 언니!'

'아니면 집을 나가서 혼자 밥해 먹고 살다 아버지한테 잡혀 들어가든가!'

원래 아버지 집에서 살던 권아영은 언니의 집에서 얹혀 사는 걸 조건으로 반독립을 허락받았다. 그게 아니었다면 벌써 선을 봐서 결혼했을 것이다.

갈등하던 권아영은 한숨을 내뱉었다.

"하아, 알았어. 내일 전화 통화할 수 있도록 해 줄게. 됐지?"

종혁의 낯빛이 어두워졌다.

"그…… 만날 수 있을까요? 엄마가 연락되면 죽었는지 살았는지 직접 확인하라고 해서…….."

"뭐?"

"반찬도 드려야 하고요! 삼촌은 저희 엄마 신김치랑 된장 아니면 밥을 못 드시거든요!"

권아영은 당황했지만, 옆구리를 더 강하게 찌르는 언니의 행동에 결국 질 수밖에 없었다.

"알았어, 알았다고. 대신 딱 반찬만 주고 나오는 거다?"

종혁의 입가에 미소가 맺혔다. 다행히 억지가 통했다.

"감사합니다!"

'대체 뭣 때문에 연락이 안 됐는지 확인 좀 합시다, 박 석사!'

그것도 종혁이 애써 작성한 자료를 함부로 내돌리고 있었다.

'그리고 이 일과 크게 관련 없어야 할 겁니다, 권 마담.'

아무리 소영이 이모라지만, 이쪽의 먹이를 탐낸다면 좋은 꼴은 보지 못할 터였다.

고개를 숙인 종혁의 두 눈이 서늘하게 빛났다.

* * *

다음 날, 권아영의 다이너스티를 타고 허름한 건물 앞에 도착한 종혁은 코를 긁적였다.

항상 뭔 일이 있을 때마다 코가 가렵더니 오늘도 그렇다. 코가 미친 듯 가려운 게 뭔 일이 생긴 게 분명했다.

"너흰 여기 있어."

"에에? 이모!"

같이 타고 온 소영과 수호는 반발했지만, 권아영이 째려보자 구겨질 수밖에 없었다.

"올라가자."

"옙!"

종혁은 냉장고를 몰래 털어 가져온 김치와 된장, 여러 반찬이 든 종이백을 들었다. 사람 한 명 겨우 지나갈 계단을 올라 주영태권도의 문을 열자 종혁은 헛웃음을 터트렸다.

소파에 앉아 거드름을 한껏 부리고 있는 파마머리.

'이 새끼가 여기 왜 있어.'

아주 잘 아는 얼굴이다.

여의도에서 잠깐 스쳐 지나가듯 봤던 얼굴.

종혁의 머릿속이 엉클어졌다.

"네가 박 팀장 조카?"

"아, 네. 안녕하십니까."

고개만 까딱인 종혁의 모습에 파마머리 김 사장의 눈살이 꿈틀거렸다.

종혁은 무시하며 고개를 돌렸다가 눈을 크게 떴다.

'이 시추에이션은 또 뭐야?'

금방이라도 죽을 듯 어두운 낯빛을 한 십여 명의 남자들. 그리고 그런 그들을 가소롭다는 듯 보고 있는 파마머리.

'저 새끼가 왜 여의도에 나타났나 했더니……'

헝클어진 머릿속이 정리되기 시작했다.

종혁은 그중 이쪽을 보며 눈을 크게 뜨고 있는 박태규를 발견할 수 있었다.

"삼촌!"

냉큼 다가간 종혁이 박태규의 손을 잡았다.

"아, 진짜 왜 이렇게 연락이 안 돼요, 삼촌! 엄마가 얼마나 걱정하는지 아세요?"

"어? 어어어……."

박태규의 눈이 데구루루 굴렀다.

"아니, 뭘 하기에 얼굴이 반쪽이 됐대? 또 컵라면만 먹어요?"

"아니, 아니!"

"에휴, 그래도 살아 있는 거 보니까 다행이네요. 여기 반찬 가져왔으니까 밥 잘 챙겨 먹어요. 아, 엄마한테 전할 말 없어요?"

종혁은 그렇게 말하며 잡은 손에 힘을 주었고, 박태규의 눈이 일그러졌다.

"연락 못 해서…… 미안하다고 전해 줘라. 정말 미안하다고. 당분간, 아니 좀 길게 연락 못 할 거라고도."

물기가 스며 있는 목소리.

종혁은 상황을 모두 파악할 수 있었다. 그의 눈이 다시금 서늘하게 가라앉았다.

"에휴, 큰일 할 사람이 아무거나 주워 먹고. 알았어요, 그렇게 전할게요."

"응, 미안해. 이만 얼른 가 봐. 다신 오지 말고."

"걱정하지 말고 삼촌이나 잘해요."

"으응."

손을 놓고 돌아선 종혁은 권아영을 보았다.

"다 끝났습니다. 내려가시죠."

"아, 그래? 그럼 월요일에 봐요, 김 사장님."

"예, 그럽시다. 아, 박 팀장 조카! 이 아저씨가 용돈 줄까?"

"됐습니다. 모르는 사람 돈은 안 받자는 주의라."

'너한테 돈 받겠냐?'

빠직!

"하, 싸가지 좀 없네? 어린놈의 새끼가 말이야."

종혁은 무시하며 망해 버린 듯한 태권도장을 나섰고, 권아영도 도도히 그 뒤를 따랐다.

그렇게 건물 입구 앞에 선 종혁은 권아영에게 하나의 명함을 내밀었다.

"응? 이건 뭐야? 반장 김종두?"

"핸드폰 있죠? 여기다 전화해서 이쪽으로 오시라고 하세요. 납치, 감금한 범죄자 새끼 수거하러 오시라고."

"......응?"

"이 일에 얽혀서 콩밥 먹기 싫으면 제 말대로 하는 게 좋을 겁니다. 아, 119도 부르시고요."

뚜두둑!

기지개를 켠 종혁은 다시 건물 계단을 올라갔고, 권아영은 그런 종혁을 멍하니 바라봤다.

"스으으."

'오랜만에 실전이네.'

몇 달 만의 범인 검거인지 몰랐다.

발목, 손목까지 알뜰하게 푼 종혁은 태권도장의 문을 열었다.

끼이익!

"어? 조카?"

이쪽을 보며 놀라는 파마머리 김 사장을 무시한 종혁은 기겁하는 박태규를 보았다.

"박태규 씨, 하나만 묻겠습니다. 여기 자의로 있는 겁니까?"

"……!"

"어이, 조카야. 지금 뭐라고 하는 거냐?"

뭔가 심상치 않은 걸 느낀 파마머리가 벌떡 일어나자 순간 분위기가 살벌해졌다.

그러나 종혁은 박태규만을 보았다.

'최종혁 님…….'

김 사장과 최종혁을 번갈아 본 박태규는 눈을 질끈 감았다.

"도망가세요! 여기 계시면 안 됩니다!"

김 사장의 여섯 명의 수행원들. 종혁의 덩치가 크다고 하지만 숫자에서 달렸다.

그런 그의 마음을 담은 외침에 종혁의 입이 찢어졌다.

'역시 호인이구만.'

결론이 나왔다.

종혁은 파마머리를 봤다.

"어이, 조카. 너 뭐냐…….."

"야, 돈가스."

"……!"

통칭 구로동 돈가스, 김창득.

악질 사채업자 겸 조폭이다.

"뭐, 뭐?"

"너답지 않게 어려운 거 하려고 한다?"

껄렁거리는 말투지만, 그 안에서 아주 익숙한 냄새를 맡은 김창득의 얼굴이 굳었다.

"너, 이 새끼…… 짭새?"

"아직 짭새는 아니고."

바깥을 향해 귀를 기울이던 그는 다급해졌다.

"그럼 뭔데, 새끼야!"

"짭새 지망생? 영감님 지망생이기도 하고. 둘 중 뭐로 할래?"

"그럼…… 일반인이라는 거네?"

"그렇지?"

"하!"

맥이 탁 풀린 김창득은 이를 갈았다.

"야, 누가 저 새끼 좀 내 앞에 데려와 봐라."

"종혁 씨!"

"저 새끼 입도 다물게 하고."

"예! 형님!"

"야, 아가야. 너 이리 와 봐."

종혁은 몸집을 키우며 다가오는 덩어리 1에 헛웃음을 지었다.

"하, 새끼. 돌아오기 전이었으면 그림자도 못 밟았을 새끼가."

"뭐 이 새끼야?!"

"못 들었으면 됐다."

성큼 발을 내디딘 그 턱을 향해 주먹을 내질렀다.

26년 형사 생활 동안 단련한 훅.

쩍!

스르르, 쿵!

"어?"

모두의 눈이 넘어가는 덩어리를 따라간다.

절망으로 물든 심장을 붙잡으며 종혁의 안전을 바랐던 박태규의 벌어진 입에서 침이 흘러내렸다.

'오?'

회귀 후 처음 날려 보는 주먹.

그래서 전력으로 때렸는데 한 방에 갈 줄은 몰랐다.

눈알을 뒤집으며 쓰러진 덩어리 1을 보던 종혁은 놀라는 김창득을 향해 손을 까딱였다.

"오케이. 형, 감 잡았다. 드루와."

"……저 새끼 죽여!"

쿵쿵쿵!

달려오는 덩어리들의 모습에 종혁의 입이 사납게 찢어졌다.

형사 생활만 26년.

그동안 종혁은 참 많은 조폭과 아웅다웅했다.

몸만 키운 덩어리에서부터 전직 특수부대원까지, 건달 짓이 뭐 그리 좋은지 조폭이란 카테고리 안에는 각양각색의 사람들이 모여 있다.

안 되겠다 싶으면 사시미를 휘둘러 대는 조폭 양아치들.

거기다 초장부터 칼을 들이미는 뽕쟁이들.

뒤져라 흉기를 휘두르는 살인자들.

그렇게 칼 밥 먹으며 살아온 인생이다.

사료 먹고 덩치만 키운 저런 덩어리는 무섭지도 않았다.

권투, 킥복싱, 이종 격투기 등 실전으로 단련된 몸이라는 흉기가 휘둘러지기 시작했다.

"이 새끼!"

부웅!

"어이쿠, 느려라!"

쩍! 쩍!

"아악!"

한 덩어리가 양 옆구리를 부여잡고 눈물을 흘리자 그 뒤에서 마지막 덩어리가 튀어나왔다.

"죽어, 이 개새끼야!"

"느리다고, 인마!"

뻑!

종혁의 발등이 마지막 덩어리의 사타구니에 꽂혔다.

"꺼억?!"

"오우, 미안."

쿠웅!

마지막이라서 그런지 쓰러지는 소리가 유독 크게 들렸다.

'와, 내 몸이긴 하지만 진짜 사기네.'

느려진 시간 속 피지컬 괴물의 몸뚱이가 움직이니 안 그래도 어설픈 덩어리들은 옷깃조차 건드리지 못했다.

"괴, 괴물 새끼."

종혁은 목을 좌우로 꺾었다.

"창득아, 이제 네 차례다? 내가 갈까, 네가 올래?"

"이런 씨발."

품 안에 넣었다 뺀 그의 손에는 칼이 들려 나왔다.

25cm의 사시미 칼.

종혁의 눈빛이 차갑게 가라앉았다.

"야, 좋은 말로 할 때 그거 넣어라. 안 그러면 죽는다."

순간 주변이 싸늘해진 듯한 감각이 느껴졌다.

마른침을 삼킨 돈가스는 이를 악물곤 달려들었다.

"좆까!"

쉭! 쉭!

공기를 가르는 칼날의 소리가 섬뜩했다.

"죽어!"

쉬익!

목을 노리며 휘둘러지는 칼날.

느릿한 시간 속 종혁은 그 팔을 잡아 꺾으며 그대로 다리를 걸었다.

부우웅 쿵!

종혁은 넘겨진 충격에 떡 벌어지는 돈가스의 입을 향해 주먹을 찔러 넣었다.

쩍!

"컥!"

"내가 죽는다고 했지? 이 꽉 물어라. 혀 잘린다."

함부로 칼을 휘두르는 위험한 놈.

종혁은 화풀이 겸 완벽하게 무력화시키기 위해 다시 얼굴을 후려쳤다.

쩍! 쩍!

"그, 그만……."

"그래, 이제 마무리하자."

종혁은 그 팔을 잡으며 꺾을 준비를 했다.

배에 칼을 맞아 위의 3분의 2를 도려 낸 후 그는 칼 든 놈을 결코 용서한 적이 없었다.

그 순간.

뻐엉!

"오케이, 거기까지! 종혁아! 반장 삼촌 왔다…… 응?"

문을 박차며 난입했던 김종두 반장과 형사들은 안에 펼쳐진 광경에 입을 헤 벌렸다.

* * *

"빨리 걸어, 새끼들아."

수갑이 차여 걸어가는 덩어리들과 기절해 업혀 가는 김창득.

김종두 반장은 수호, 소영에게 둘러싸여 손에 묻은 피

를 닦는 종혁과 그들을 번갈아 보며 어이없어했다.

"아니…… 허, 참……."

"빨리 오셨네요?"

시간상 전화를 받자마자 달린 것이다.

"이 자식아! 누가 이렇게 위험한 일……."

결과상 위험하지 않았다. 먼저 전화까지 한 걸 보면 자신이 있었던 거다.

'허, 이놈 진짜.'

뭐, 이런 놈이 다 있나 싶었다.

하지만 그럴수록 확신이 들었다.

'이 자식은 무조건 형사가 돼야 해!'

그래도 혼내야 할 것은 혼내야 했다.

"어쩌려고 저렇게 팼어!"

수호와 소영의 두 눈에도 불똥이 튀었다. 피 때문에 심장이 떨려 말은 못 하지만 온몸으로 적극적으로 동감했다.

"어…… 용감한 시민상 받으려고요?"

"응?"

세 명의 눈빛에 허탈함이 들었다.

"조직 폭력배에게 납치된 사람들을 구하기 위해 위험을 무릅쓴 고등학생과 그런 고등학생까지 구하며 조폭을 일망타진한 형사들. 타이틀 좋잖아요."

움찔!

'이것까지 다 계획해서 달려든 거라고?'

말도 안 나온다.

종혁은 어이없어하는 그들을 보며 히죽 웃었다.

용감한 시민상은 진짜였기 때문이다. 만약 그게 아니었다면, 그냥 김종두 반장만 부르고 말았을 것이다.

어떤 방식이든 박태규를 구하면서 그의 마음에 빚을 지게 만드는 것은 똑같으니 말이다.

'이걸로 가산점 플러스구먼.'

경찰대든 법대든 용감한 시민상은 꽤 큰 가산점이다.

정의감.

두 조직에서 요구하는 게 바로 정의감이니 말이다.

"이게 미쳤어! 야, 너!"

소영이 손바닥을 들자 종혁은 그 팔을 잡았다.

"어허이, 진정해."

"야, 놔! 안 놔?!"

"종혁 씨."

박태규가 어두운 낯빛으로 다가왔다.

소영을 잡아서 달랜 종혁은 눈을 빛냈다.

"반장님, 이분과 잠시 이야기 나눠도 될까요?"

"……그래. 시간은 많이 못 준다."

"감사합니다."

종혁은 그의 손목을 잡고 구석으로 끌고 갔다.

"어떻게 된 일입니까?"

박태규는 씁쓸하게 웃었다.

"처음 최종혁 씨에게 얻어맞고 쓰러진 놈이 종식이라

고 저 국민학교 때부터 친구입니다."

"아……."

그제야 어떻게 된 일인지 대충 눈치챈 종혁은 태권도장 입구에 서서 망연자실한 얼굴을 하고 있는 권아영을 보았다.

'저분과도 이야기 나눠 봐야겠네.'

이 일과 얼마나 얽혀 있는지.

만약 발을 깊게 담갔다면, 소영이 이모라도 별수 없었다.

하지만 일단은 박태규의 말을 듣는 게 먼저였기에 그의 이야기에 집중했다.

* * *

돈 때문에 뒤통수를 친 친구.

방법만 다를 뿐이지, 흔하다면 흔한 이야기였다.

엄청난 돈을 벌 수 있는 박태규의 말에, 그의 친구 종식은 모시는 형님의 오른팔이 되고자 친구를 형님에게 팔아넘겼다.

돈 냄새를 진하게 맡은 악질 사채업자 겸 조폭 돈가스는 박태규를 감금시켰고, 빚이 남은 10명도 데려와 일을 시킨 것이다.

'나 때문인가?'

본래 박태규는 뜻이 맞는 동료 열 명과 증권사를 박차

고 나와 투자 회사를 차리고, 인맥을 모두 동원해 투자자를 모집한다.

그 투자금이 얼만지는 모르지만, 이 외환 위기로 인해 엄청난 돈을 벌어들인다.

이게 회귀 전 그의 역사다.

그러나 지금은 달랐다.

답답해 죽으려는 와중에 나타난 국가부도론 찬성론자.

그것도 예언서에 가까운 포트폴리오를 들고 왔다. 눈이 돌아갈 수밖에 없었을 것이고, 마음도 급해졌을 것이다.

그래서 결국 말하지 말았어야 할 놈에게 말해 버렸다.

종혁은 책임을 통감할 수밖에 없었다.

그는 형사 앞에서 고개를 푹 숙이고 있는 박태규와 입술을 씹는 권아영을 보았다.

선의의 피해자까지는 아니더라도 피해자인 그녀.

그녀의 죄라면 막대한 돈이라는 암막에 눈이 가려져 박태규와 감금당한 10명을 외면한 것뿐이다.

"내가! 내 채무자도 마음대로 못하나! 돈 빌려 못 갚은 놈이 잘못이지, 돈 빌려준 놈이 잘못이냐고!"

"시끄러워, 이 새끼야!"

"거 대가리는 때리지 맙시다!"

'어후, 저 밉상 새끼.'

얻어맞는 돈가스를 본 종혁은 잠시 경찰서를 빠져나왔다. 구름이 가득 낀 밤하늘이 그의 가슴을 답답하게 했다.

"하, 돈 벌기 빡세네."

돈 조금 벌려다가 생쇼를 다 했다.

헛웃음만 나왔다.

스윽.

옷자락을 잡아끄는 손길에 고개를 돌린 종혁은 이마를 잡았다.

"조, 종혁아. 우, 우리 이모 교도소 가?"

눈물, 콧물 다 흘리는 소영.

아무래도 난생처음 경찰서에 와서 충격이 큰 듯했다.

수호도 곧 눈물을 흘릴 듯 눈시울이 붉었다.

"에고, 예쁜 얼굴 다 망가지네. 걱정 마. 이모님 교도소 안 가."

"지, 진짜?"

"이모님 진술하는 걸 보니 단순 가담도 안 돼. 이모님도 사기당한 거나 다름없으니까 훈방 조치. 잘못되어도 집행 유예로 끝날 거야."

아마 오늘은 경찰서 유치장 신세를 져야 할 테지만 말이다.

이 시기, 애매하면 일단 유치장 감금이다.

"훈방 조치? 집행 유예?"

"이대로 집에 가거나, 한 번 법원에 다녀오거나 그 차이야. 교도소는 절대 안 가니까 걱정 마."

"저, 정말?"

부우웅!

검은색 중형차 한 대가 건물 앞에 선다.

"어? 작은할아버지다. 작은할아버지!"

"소영 아가씨!"

'작은할아버지인데 아가씨?'

종혁은 달려오는 노인을 훑었다. 옷깃에 달린 금배지가
눈에 익었다.

'변호사?'

"이게 대체 어떻게 된 일입니까? 아영 아가씨가 경찰서
라니요!"

"그게……."

종혁은 어떻게 말해야 할지 모르는 소영 대신 나섰다.

"이모님은 현재 강력 3반에 계십니다."

"학생은?"

"소영이 친구 최종혁입니다. 안녕하십니까."

"아, 그래요……."

"구로동 돈가스라는 사채업자 겸 조폭 김창득의 계략
에 속아 범죄에 가담하시게 됐는데, 그 부분을 강조하시
면 원만하게 풀어 나갈 수 있을 겁니다."

학생답지 않은 단어 선택에 노인은 당황했다.

"허허, 고마워요. 소영 아가씨, 전 바빠서 이만."

"네! 얼른 이모 좀 데려와 주세요!"

"그럼요. 그러기 위해 온걸요."

노인은 다시 올라갔고, 소영과 수호는 종혁을 멍하니
보았다.

"와, 종혁이 너 말 엄청 멋지게 한다. 너 방금 엄청 어른 같았어!"

소영도 초롱초롱한 눈빛으로 쳐다봤다.

종혁은 머리를 긁적였다.

"하하. 애들아, 하드 먹을래?"

* * *

"쿵쿵."

여기저기서 피워 대는 담배 때문에 옷에서도 냄새가 난다.

'하아, 진짜 꼬락서니 하고는. 어쩌다 이렇게 된 거지?'

아버지에게 인정받으려고 했을 뿐인데 일이 이상하게 꼬였다.

"아영 아가씨!"

권아영은 노인을 보곤 하얗게 질렸다.

"사, 삼촌?!"

'왜?'

그녀는 분명 아는 로펌 변호사를 불렀다. 그런데 아버지의 전속 변호사가 나타난 것이다.

이 말은 이 일을 아버지가 알게 됐다는 뜻이었다.

'죽었다!'

그녀의 눈앞이 깜깜해졌다.

"아, 아버지께서……."

"화가 많이 나셨습니다."

"아, 진짜!"

"허헛, 지금부터는 제가 알아서 하겠습니다."

노인은 김종두 반장에게 다가갔다.

"권아영 씨 대변인 이영창이올시다."

"예, 안녕하십니까. 강력 3반 반장 김종두……."

내민 명함에 적힌 이력을 본 김종두는 벌떡 일어났다.

서울지방검찰청. 소위 중앙, 중검, 서울지검이라 불리는 곳의 검사장이란 이력이 김종두의 피를 앗아 갔다.

"추, 충성!"

나는 새도 떨어트린다는 검사. 서울지검의 검사는 더욱 특별하다.

그런 서울지검의 정점을 지낸 인물이다.

김종두의 위가 따끔거리기 시작했다.

노인이 눈을 날카롭게 떴다.

"말을 들어 보니 김창득이란 범죄자 새끼의 계략에 저희 아가씨가 당한 것 같던데."

"예, 예. 저희도 그렇게 판단하고 있습니다."

"그럼 말이 편하겠구려."

김종두는 속으로 혀를 찼다.

평소라면 완전히 조사가 끝날 때까지 절대 안 보냈을 테지만 도리가 없다.

"알겠습니다. 데려가시죠."

"고맙소이다. 나중에 밥 한 끼 합시다."

노인은 권아영에게 다가갔다.

"일어나시죠, 아가씨."

"……여기 박 팀장도 함께 데려가고 싶어요."

박태규가 놀란 눈으로 권아영을 보았다.

그녀는 입술을 깨물었다.

'절대 이렇게 끝낼 수 없어!'

이렇게 끝낸다면 머리채 잡혀 끌려가 결혼이다. 절대 그럴 수 없었다.

"흐음."

권아영과 박태규를 번갈아 보며 눈을 가늘게 떴던 노인은 살짝 못마땅한 표정을 지으며 김종두를 응시했다.

"박태규 씨, 오늘은 그냥 가시고 내일 진술합시다!"

권아영은 박태규의 팔을 잡아당겼다.

"가요, 박 팀장."

"예? 예, 예."

그렇게 경찰서 건물을 빠져나온 그들에게 소영이 달려들었다.

"이모-!"

방금까지 아무렇지 않았던 권아영은 순간 울컥했다. 경찰서에 왔다는 두려움이 이제야 몰려오고 있었다.

그런 그녀를 복잡한 시선으로 보던 박태규는 종혁에게 다가가 고개를 숙였다.

"죄송합니다, 종혁 씨."

"아닙니다. 다치지 않았으면 됐습니다. 똥 밟았다 칩시다."

"똥이 참 아프더군요."

"사람 무서운 걸 알게 됐으니 된 거 아니겠습니까."

"참 비싼 수업료를 지불한 것 같습니다."

서로의 집에서 밥도 얻어먹고, 골목을 함께 뛰놀던 친구.

그런 친구에 뒤통수를 맞았다. 심장이 떨어져 나간 듯 아팠다.

종혁은 허탈하게 웃는 그를 보며 입꼬리를 비틀었다.

"수업료 지불했으면 다시 일해야죠."

움찔!

박태규가 눈을 가늘게 떴다.

"고등학생이라고 들었습니다."

'……쯧.'

애써 옷을 어른처럼 입었는데 결국 들켜 버렸다.

그러나 종혁은 뻔뻔하게 나가기로 했다.

"고등학생이라고 뻔히 보이는 걸 못 보는 게 아니죠."

종혁은 어떻게 할 거냐는 듯 박태규를 보았다.

"자, 잠깐! 잠깐!"

권아영이 끼어들었다.

그녀의 눈이 혼란으로 흔들리고 있었다.

"지금 그게 무슨 말이에요? 설마……."

"예, 들으신 그대로입니다."

권아영은 거짓말 말라는 듯 종혁을 보았고, 종혁은 어깨를 으쓱였다.

"……거짓말."

"상황이 이렇게 됐는데, 제가 권 PB님을 속일 리 없잖습니까."

권아영은 그대로 굳어 버렸다.

한숨을 뱉은 박태규는 주먹을 쥐며 종혁에게 고개를 숙였다.

"저를 택해 주셔서 감사…… 했습니다. 부디 큰돈 버시길 바라겠습니다."

종혁의 눈에 불똥이 튀었다.

'미친?!'

전혀 생각지 못했던 말에 그는 식겁할 수밖에 없었다.

"왜 포기하시는 겁니까?"

그는 급해졌다.

'난 당신 말곤 모른다고!'

박태규는 한국 투자계의 전설이라 불렸던 인물.

그를 대체할 만한 이는 어디서 쉽게 찾을 수 있는 게 아니었다.

더욱이 이제 외환 위기까지 남은 시간도 많지 않았다.

'내가 당신을 왜 구했는데, 이 양반아.'

물론 형사로서 피해자를 구한 것이지만, 이만한 인물을 찾을 자신도 없기 때문이다.

"죄송합니다. 저 같은 놈은 자격이 없습니다……."

종혁은 이마를 잡았다.

'거, 세상 착한 양반일세.'

참 답답하지만 그래서 더 믿음이 갔다.

"승부사가 한 번의 실패로 링을 내려간다라……."

종혁은 꽉 쥐어지는 박태규의 주먹을 힐끔 보았다.

"태규 씨, 전에 말했습니다. 보여 드린 건 겨우 절반뿐이라고."

움찔!

흔들리는 그를 보는 종혁의 눈빛이 차가워졌다.

"다시 한번 묻겠습니다. 정말 이렇게 똥만 밟은 채로 끝내실 생각입니까? 다시 여의도 월급쟁이로 돌아갈 생각이냐는 말입니다."

"저, 저는……."

'옳지! 그렇지!'

"내가 할게, 소영이 친구. 아니지. 내가 할게요, 종혁 씨."

식겁한 종혁은 애써 무심히 권아영을 보았고, 그녀는 박태규를 향해 코웃음 치곤 빛나는 눈으로 종혁을 보았다.

"이 사람이 놓치는 기회, 내가 잡을게요. 나한테 줘요. 최종혁 씨가 생각하는 것보다 더 부자로 만들어 드릴 테니까!"

'이 아이였다니! 무조건 잡아야 해!'

아직도 믿지 못하겠지만, 간절한 그녀는 도박 수를 던졌다. 눈앞에 보물이 아른거리는데 놓칠 수 없었다.

"권 PB님!"

"왜요? 꼬리 내린 개처럼 포기하시는 거 아니었어요?"

권아영의 얼굴에 한가득 번진 비웃음.

"패배자가 될 거라면 빠지세요, 박 팀장."

'이 여자가?!'

박태규는 이를 악물었다.

분명 포기하고 누군가에게 양보하려 했는데, 직접 눈앞에서 그 상황이 벌어지니 가슴에서 불덩어리가 솟는다.

그는 종혁을 보았다.

'이건 내 거야!'

"말을 번복해서 죄송합니다. 하겠습니다. 하게 해 주십시오!"

"이봐요, 박 팀장!"

"왜요!"

종혁은 아옹다옹 다투는 둘을 흐뭇이 바라봤다.

'허, 권 마담이 보물이었네.'

종혁은 두 눈에 애정을 담아 권아영을 보았다.

하지만 그것도 잠시였다. 그녀를 보니 뭔가 떠오르는 게 있었다.

'쩐주.'

사채업자에게 돈을 대 주는 주인.

이번 사건, 권아영은 1대 쩐주 겸 조력자였다.

아까 듣기로 그녀가 이 일에 묻은 돈만 30억.

일반적으로 대규모 투자를 하는 PB치곤 동원한 돈이 무척이나 적지만, 그건 아마 1차 투자금일 디었다.

'이런 판은 돈이 많을수록 좋다.'

종혁은 생각을 정리했다.

"그럼 이렇게 하시죠."

머리채를 잡을 뻔했던 둘이 종혁을 보았다.

종혁은 웃으며 입을 열었다.

"이모님은 돈과 시간을 투자하시고, 박태규 씨는 인력과 노동력을 투자하시는 겁니다. 그리고 전 아이디어를."

"어? 그건?"

"오늘 일, 아니 이번 판에서 돈가스만 빠지는 겁니다. 어떻습니까? 이러면 명쾌하지 않습니까?"

종혁은 의미심장한 미소를 지었고, 박태규와 권아영은 어이없다는 듯 그를 보았다.

이야기를 따라가지 못한 수호, 소영은 고개를 모로 기울였다.

'자, 이제 돈 법시다!'

뺏긴 시간은 사흘.

부지런히 움직여야 했다.

물론 종혁이 움직이는 건 아니었다.

* * *

정원수가 심어진 넓은 마당을 지난 권아영은 커다란 한옥 집을 보며 한숨을 내뱉었다.

"하아, 들어가기 싫다."

"지금 도망가시면 잡혀 오실 겁니다."

"알아요. 도망갈 이유도 없고요. 아니, 매달리려고 왔죠."

권아영은 품에 안은 종이 뭉치를 꼭 끌어안았다.

'칫, 시간만 많았다면.'

"음."

"오늘 고마웠어요, 삼촌."

생긋 웃으며 허리를 숙인 권아영은 신발을 벗고 마루에 올라섰고, 노인은 혀를 찼다.

"부디 잘되셔야 할 텐데……. 음, 그런데 정말 이 나라가 부도나려나."

그의 눈이 가늘게 떠졌다.

삐걱삐걱.

관리는 잘됐지만 오래된 저택이라 그런지 소리가 나는 나무 바닥을 밟으며 안방 앞에 선 권아영은 심호흡했다.

쿵쿵!

"아빠."

"들어와."

덤덤한 목소리.

'쯧, 엄청 화나셨네.'

문을 연 그녀는 하얀 두루마기를 입은 칠십대 노인에게로 다가갔다.

작은 다과상 앞에 앉아 차를 홀짝이는 아버지.

"저 왔어요."

노인 권회수는 대답 대신 사진 몇 장을 다과상에 던졌다.

"골라라. 잘생기고 소심한 놈들로 추렸다."

'아, 진짜!'

그녀는 화가 솟았지만 애써 누르며 그 위에 종이 뭉치를 내려놓았다.

"읽어 보세요."

"이번엔 볼 것 없다. 어디 계집이 경찰서를 드나들어! PB인지 피똥꾸멍인지 할 생각 접어!"

"보세요. 보시고 이야기해요."

"내가 이번에도 속을 줄 아냐!"

"마음에 안 들면 선볼게요."

흠칫!

"……정말이냐?"

"선보고 마음에 들면 6개월 안에 결혼할게요. 됐죠?"

권회수의 눈이 그 진의를 따지기 위해 가늘게 떠졌다.

"네가 뭔 일이냐?"

"이 판, 못 먹으면 차라리 시집가는 게 나을 것 같아서요."

"마름 짓도 그만두고?"

"……봐서요."

말하기 싫었지만 어쩔 수가 없다. 이젠 시간이 정말 부족했다.

'돈도!'

이런 그녀의 마음을 모르는 권회수의 얼굴이 기쁨으로 일그러졌다.

"그래, 잘 생각했다. 자고로 여자는 네 언니처럼……."

"한마디만 더 해 봐요. 진짜 바보 온달한테 시집갈 거니까."

"······허흠."

A4 뭉치를 집어 든 그는 피식 웃었다.

"거 이름은 거창하구나."

〈외환 위기〉

그는 느긋이 한 장 뒤집었다.

그러다 이내 곧 허리를 세웠다.

사락! 사락사락사락!

권아영은 빠르게 페이지를 넘기는 아버지의 모습에 미소를 지었다.

텅!

포트폴리오를 내려놓은 권회수의 얼굴이 붉게 달아올랐다.

하지만 그것도 잠시였다. 그의 눈빛이 서늘해지고, 그 몸에서 서릿발 같은 기세가 풍겼다.

"돈 주기 전에 하나 묻자. 이거 누구 거냐."

"어느 어린 천재요."

마음 같아선 숨기고 싶지만, 이미 삼촌 이영창이 종혁과의 대화를 들었다.

"그 박태규라는 소작놈?"

"오늘 절 구한 고등학생이요."

"뭐야?! 고작 고등학생 사탕발림에 넘어간 거냐?!"

"그 보물이 고작 사탕처럼 보인다면, 그냥 이자 물고 돈 빌릴게요. 얼마 빌려주실래요? 시간 없어요."

"……."

한때 명동을 주름잡았지만, 93년 금융 실명제로 인해 치명적인 피해를 입고 강제 은퇴한 사채업자 권회수.

그는 장고에 들어갔다.

돈 냄새가 너무 진하게 풍긴다.

그러나 고등학생이란 게 마음에 걸린다.

"연결해."

"왜요!"

"누가 상품도 안 보고 값을 치러!"

입술을 깨문 그녀는 핸드폰을 꺼냈다.

ㅡ예, 고정숙 씨 댁입니다.

"최종혁 씨, 저 권아영인데……."

권회수는 핸드폰을 뺏듯 가져왔다.

"아빠!"

"나 진짜 쩐주일세."

종혁은 몸을 굳혔다. 좁은 반지하 방이 더 좁게 느껴질 만큼 숨이 막혔다.

하지만 예상했던 범위다.

종혁의 눈빛이 차갑게 가라앉았다.

"제가 하고 싶은 말은 권 PB가 가져간 자료에 모두 적혀 있습니다. 투자하시겠습니까, 마시겠습니까?"

─얼마를 원하나?

"제 전 재산은 1억입니다. 전 몰빵입니다."

─잘됐군. 팔게. 값은 넉넉하게 쳐주지. 큰 거 2장 어떤가.

"흥. 푼 돈 벌자고 만든 밥상 아닙니다. 황금알 낳는 거위, 배 따시겠습니까?"

─재밌구만. 끊지.

전화가 끊기자 종혁은 한숨을 내쉬었다.

"진짜 별일 다 하네."

돈 벌기 참 어려웠다.

하지만 이제 모든 능선은 넘었다고 봐야 했다.

펼쳐진 대로만 달리면 끝.

"딱 20배만 먹을 수 있으면 좋을 텐데……."

20억.

종잣돈이 1억이라 많이 벌어야 그 정도일 테지만, 이건 앞으로 있을 일들의 종잣돈이다.

그걸 생각하니 배가 불렀다.

종혁의 입가에 미소가 번졌다.

"그런데 큰 거 2장이라니, 쩐주라는 양반이 통이 작네."

통상 큰 거 1장이면 1억, 2장이면 고작 2억이다.

물론 2억이 작은 돈은 아니지만, 종혁이 알고 있는 정보로 벌어들일 수 있는 돈에 비하면 푼돈이다.

그 돈 벌자고 이런 굴곡을 겪은 게 아니다.

"진짜 쩐주라는 말도 허세 아냐?"

딱히 상관없다.

권아영과 박태수가 움직일 자본, 추정 몇 십억이란 자본에 1억을 담근다는 게 중요할 뿐이다.

한편 전화를 끊은 권회수는 피식 웃었다.

"20억을 마다 한다라……."

고등학생이라 생각할 수 없을 만큼 배포가 크다.

"욕심 그득한 놈 같으니."

그러나 그렇기에 마음에 든다.

사사삭!

권회수는 옆에 놓인 메모지에 숫자를 적어 내밀었다.

"2년, 60퍼센트."

"아빠!"

생각했던 것보다 배는 많은 액수.

"당연히 복리다."

기뻤던 그녀는 이내 조심스러워졌다.

"하지만 이 돈은 아빠 재산의……."

"어차피 나중에 네가 낳을 손자에게 줄 돈이다."

"하지만 이젠 돈놀이 안 하시잖아요."

"그래서 받을 거야, 말 거야!"

"받을게요! 사랑해요!"

"어이구, 엎드려 절 받기지. 됐어, 오늘 욕봤다. 나가 봐."

"사랑해요! 내일 아침 같이 먹어요!"

콧방귀를 뀐 그는 몸을 돌렸고, 권아영은 헤죽 웃으며 일어섰다.

'실탄 장전 완료!'

어차피 아는 사람만 먹으려는 판이다.

투자금이야 이 나라가 뒤집어지면 자연스럽게 모일 터. 이 돈은 그때까지 판을 깔기 위한 1차 판돈이었다.

그녀의 두 눈에 전의가 넘실거리기 시작했다.

쿵!

급히 닫힌 문을 보던 권회수는 한쪽에 놓인 전화기를 들었다.

"이 변호사, 날세. 둘째랑 연결된 고등학생에 대해 알아보게."

그의 눈이 가늘게 떠졌다.

* * *

그 시각 경찰서.

1차 진술을 마친 김종두 반장은 담배를 톡톡 책상에 찍었다.

"용감한 시민상."

처음 들었을 때 얼마나 어처구니없었는지 모른다.

하지만……

"암, 받게 해 줘야지."

그것도 화려하게 받게 만들 생각이었다.

형사로 만들어야 하는데 뭐든 못할까.

그는 책상에 놓인 전화기를 들었다.

"어, 박 기자. 나 김종두 반장인데?"

* * *

"정말 확실한 거야?"

"리스크 없이, 그러니까 원금 보존을 원칙으로 투자를
한대."

고정숙은 눈을 가늘게 떴다.

무려 1억이다.

그녀가 살아오며 한 번도 만져 본 적 없는 거금.

은행도 아닌 생전 모르고 지낸 주식이라는 것에 그런
거금을 맡기려니 망설일 수밖에 없었다.

더욱이 아들이 피를 흘린 값이기에 망설임은 깊었다.

"믿어요, 믿어. 반 친구 이모도 그분한테 돈 맡겼대요.
10억이나."

"어머! 세상에, 정말?"

1억도 손이 떨리는 데 10억.

새된 소리가 절로 나왔다.

하지만 그녀는 몰랐다. 그 돈은 10분의 1도 안 되는 액
수란 걸 말이다.

'그렇게 많은 돈을 돌리는 사람이라면······.'

그런 거액을 움직이는 사람이 사기를 칠까.

"그런데 반 친구? 아들 친구 생겼어?"

"응. 제법 좋은 애들이에요."

"혹시 여자니?"

"여자긴 여자지."

"그으래?"

'이상한 생각하시네.'

그러나 변명을 하면 오해가 더 깊어질 부류의 이야기이기에 종혁은 입을 다물었다.

"아무튼 한번 만나 봐요. 미팅 날짜 잡을 테니까. 전 재산에 가까운 돈 투자하는데 사람 얼굴은 봐야지."

"……그래, 그렇게 하자."

아들이 이렇게 호언장담하는데 믿어 주지 않을 수도 없었다.

고정숙은 한 줄 한 줄 힘들게 김밥을 싸는 아들을 가만히 쳐다봤다.

'얘가 언제 이렇게 컸을까.'

어느 순간 투정 한 마디, 싸움 한 번 하지 않고 공부도 열심히 하더니 어느새 엄마도 모를 세상의 이야기를 한다.

참 낯선 변화였지만, 이젠 그 덩치만큼 커 보였다.

마치 옛날 제 아빠처럼.

'여보.'

태풍이 불어도 지켜 줄 것 같은 듬직한 등에 반해 결혼

한 나이 많은 남편.

찔끔 흐르려는 눈물을 훔친 고정숙은 이런 날만 계속되면 좋겠다며 하늘에 기도했다.

종혁을 바라보는 그녀의 입가에 미소가 맺혔다.

그 순간.

찰칵!

고개를 든 둘은 사진기를 목에 건 웬 남성을 발견하곤 의아해했다.

"실례합니다. 안녕하십니까. 전 이런 사람입니다."

그가 내민 명함을 살핀 고정숙은 화들짝 놀랐지만, 종혁은 피식 웃었다.

'오랜만이네, 영일 형님.'

사회부 기자 박영일.

20년이나 젊어진 모습이었으나 한눈에 알아볼 수 있었다.

'어, 잠깐?'

뒤늦게 그가 이곳을 찾은 이유를 눈치챈 종혁은 기겁했다.

"기자님이 여긴 왜……."

"어이구, 모르셨어요? 어제 아드님께서 아주 대단한 일을 해내셨거든요. 조폭 7명에게서 사람을……."

휙!

"조폭?"

살기가 가득 맺힌 목소리.

종혁의 등 뒤로 식은땀이 흘렀다.

짝! 짝짝!

등짝이 터지는 소리를 뒤로하며 돌아선 박영일은 흐뭇한 미소를 지었다.

"이 새벽부터 나와서 엄마를 돕는다라……."

거기다 유도 유망주.

숫제 드라마다.

제목도 기가 막히게 뽑힐 것 같았다.

지독한 가난에서 피어난 정의(正義)의 꽃.

점점 요지경 세상이 되어 가는 사회에 제법 훈훈한 미담이 될 것 같다.

"크, 좋고."

'또 보자고, 소년.'

그는 만족스러워하며 지하철로 향했고, 종혁은 그런 그를 보며 이를 악물었다.

'저, 이씨! 따로 만나면 될 것 가지고!'

"내가 못 산다, 못 살아! 애들 안 팬다고 좋아하니까 조폭을 패? 너 진짜 죽을래-!"

종혁은 몸을 마는 것 말곤 할 수 있는 게 없었다.

'내가 다신 저 양반이랑 인터뷰하나 봐라!'

그건 모를 일이었다.

5장. **합숙**

합숙

"종혁아."

'내 보물!'

유도부 감독실을 울리는 끈끈한 부름에 종혁은 엉덩이를 빼며 방어 자세를 취했다.

약 두 달 전 기사가 난 이후 네가 그렇게 싸움 잘하냐며 당한 무한 업어치기. 척추가 으스러질 것 같고, 끝 모를 체력이 바닥을 드러낸 날이었다.

체력이 부족한 감독이 주장에게 바톤 터치하고 주장이 부주장에게 바톤 터치하며 하루 온종일 넘겼기 때문이다.

용감한 시민상을 타면서 유도부 주가가 올라간 이후, 시한폭탄을 보는 듯한 시선이 사라졌디지만 그 트라우마의 잔재는 아직도 남아 있었다.

"무슨 일이세요?"

"아니 우리 종혁이 힘들지 않나 해서. 음료수 줄까?"

"힘들긴요. 다 끝났는데요."

"다 끝났어?! 드디어?"

길고 길었던 번역이 드디어 모두 끝났다.

당초 한 달로 잡았던 것보다 두 배 이상이 더 든 시간.

박태규와 권아영을 신경 쓰고, 기말고사도 준비하다 보니 시간을 더 소비하게 되었다.

기말 고사 성적은 평균 93.5점.

반에서 5등을 했다.

유도부원들도 중간고사 때보다 최소 평균 2점씩 오르며 등수를 지켰다.

그렇게 어렵게 번역하기는 했는데 문제가 있었다.

이게 판도라의 상자라는 것.

'입이 방정이지!'

컴퓨터 오류라며 지워 버릴까, 말까.

깊이 갈등하던 종혁은 신성일의 눈빛에 결국 판도라 상자를 열기로 했다.

"잠시만요."

달칵! 찌직! 찌직!

프린터에서 뽑힌 자료를 읽은 신성일은 의아해했다.

"오오? 음? 뭐야."

"그게 암 워킹이에요.

'사람 잡기 딱 좋은.'

놀랍게도 이 시기에도 암 워킹이 있었다.

"아, 이게 암 워킹이야?"

신성일은 어이없어했다.

"선진국이라고 해서 뭐가 다르나 했더니 여기도 네발 걷기를 하네."

네발 걷기.

양발, 양손으로 계단이나 등산로를 걷는 훈련인데, 운동부라면 거의 다 하는 훈련이다. 아주 오래전부터.

"뒷장도 넘겨 보세요."

"……오호?"

신성일의 눈이 가늘게 떠졌다.

"그렇지! 이래야 선진국이지!"

네발 걷기를 변형시킨 훈련법들이 있었다.

팔과 허벅지 안쪽 근육을 골고루 발달시킬 수 있는 자세들.

그중 하나가 종혁이 아는 암 워킹이다.

팔로 걸어 팔 굽혔다 펴기.

이 원형 그대로 써도 될 것 같았다.

"그 뒤에 있는 자세가 버핏 테스트예요."

일반인은 50번 정도 하면 저승사자와 면담을 하는 버핏 테스트.

"이건 엎드려 뛰기랑 비슷하네."

"그리고 마지막 70페이지가 크로스핏이고요."

정확히는 크로스핏의 원형이라 할 수 있는 걸 종혁이

적절하게 개선한 것이었다.

효과는 장담할 수 있지만, 그만큼 고될 것이 확실한 훈련법들이다.

신성일이 진중한 눈으로 자료를 살폈다.

"흠. 크로스핏은 따로 해 봐야겠지만, 암 워킹이나 버핏 테스트는 지금 당장 해도 되겠군."

손가락을 까딱인 신성일이 밖으로 나가자 종혁은 미소를 지었다.

창밖으로 곧 비가 오려는 듯 흐릿한 날씨가 보였다.

"거 죽기 딱 좋은 날씨구만."

하지만 자업자득.

금메달을 떠올린 종혁은 이를 악물며 밖으로 나갔다.

'동일고 유도부원 최종혁 용감한 시민상'이란 플랜카드 아래 하앗 핫 쿵쿵 대련을 하는 이들.

다른 학교와 대련을 할 때 자랑하겠다고 걸어 놓은 거다.

"모두 주목!"

"주목-!"

거친 숨을 몰아쉬며 부원들을 둘러 본 신성일 감독이 입을 열었다.

"오늘부터 새 훈련을 도입시키려고 한다."

유도부원들의 눈이 빛났다.

종혁이 미국의 선진화된 훈련법을 번역하고 있다는 사실을 모르는 부원은 없었다.

메달, 혹은 명문 대학 진학이 목표인 그들.

이전에 번역되어 훈련 커리큘럼에 포함된 스트레칭이나 근력 훈련은 굉장히 마음에 들었기에 더욱 기대가 되었다.

"기존에 하던 훈련과 큰 차이는 없으니 빨리 적응할 거다. 숙달된 조교 앞으로."

"앞으로!"

"암 워킹 준비 자세!"

"암 워킹 준비 자세! 하나둘!"

재빨리 엎드린 종혁이 엉덩이를 뾰쪽 들었다.

"2번 자세 시작!"

"시작! 하나둘 셋 핫!"

세발자국 걷고 왼팔과 오른다리를 들어 몸을 비튼다. 이때 오른 다리는 고개를 트는 방향인 왼쪽으로 비튼다.

우두둑!

방금 전까지 의자에 앉아 있어서 그런지 허리에서 큰 소리가 울렸고, 유도부원들의 얼굴은 하얗게 변했다.

'저, 저거!'

초등학교부터 유도를 한 그들은 보자마자 알 수 있었다. 저게 얼마나 흉악한 훈련인지.

최소 70킬로그램 몸뚱이를 지탱하는 한쪽 팔과 한쪽 다리.

"팔 더 구부려, 인마! 직각으로! 숙달된 조교가 왜 그래!"

'그냥 네발 걷기도 힘든데!'

'저게 왜 선진화야!'

'미안혀! 죄송혀요!'

"둘, 둘, 셋! 핫!"

우두둑!

지옥으로 향하는 특급 열차 티켓이 모두의 손에 쥐어지는 순간이었다.

* * *

"나 지금 떨고 있니?"

"닥쳐. 말할 힘도 없어."

저녁 6시.

단 3시간 만에 유도부원 전원이 매트 바닥에 엎어졌고, 신성일 감독과 박상묵 코치는 흐뭇하게 웃었다.

"애들이 이렇게 뻗은 게 얼마 만인지."

고등학생쯤 되면 그 체력이 일반인을 월등히 상회한다. 그렇다 보니 훈련 시간과 방식이 정해진 유도부 기본 훈련으로는 이렇게까지 체력을 방전시키지 못한다.

하루 온종일 집중 훈련만 하는 합숙은 다르지만.

"역시 선진국이라 그런지 신통방통하네요. 음, 그런데……."

박상묵 코치의 얼굴이 어두워졌다. 쉰 명이 넘는 애들을 마사지할 생각하니 눈앞이 깜깜했다.

신성일은 혀를 찼다.

"한두 달하면 애들도 익숙해질 거야. 부탁해."

마음 같아선 전문 마사지 사를 고용하고 싶지만 예산이
부족하다.

"쯧. 알겠습니다. 그럼 전 애들 마사지 준비하겠습니
다."

"그래, 내가 박 코치 믿는 거 알지? 허허. 합숙이 기다
려지는구만!"

종혁을 못마땅하게 쳐다본 박상묵은 안쪽으로 향했고,
부원들은 그 시선을 쫓았다가 눈을 가늘게 떴다.

엉덩이를 씰룩이며 소리 없이 기고 있는 덩어리.

종혁이었다.

'합숙에서도 이 짓을 해야 된다고?'

"저 새끼 잡아."

"……넌 뒤졌다."

유도부원들이 종혁을 향해 기기 시작했다.

"악! 억!"

푸닥거리는 소리가 유도부실을 울렸다.

휘이잉.

어디선가 불어온 바람이 종혁을 감싼다.

소중한 부위를 제외하고 골고루 맞은 몸이 스륵 풀리는
기분.

"이제 여름이구나."

해가 온전히 저문 밤, 아직 7월 중순임에도 바람이 후덥지근하다.

"올 여름은 덥겠네."

방금 전까지 에어컨 아래 있다가 나와서 그런지 더 덥게 느껴진다. 운동을 하다 보면 에어컨이 있건 없건 똑같이 덥지만.

에어컨, 이 시기 부자가 아니면 엄두도 못내는 에어컨의 시원한 바람을 떠올린 종혁은 한숨을 뱉었다.

"엄마 힘들 텐데."

쨍쨍 내려쬐는 햇빛에 달아오를 아스팔트.

불 앞에 앉은 어머니 고정숙의 건강이 염려되었다.

'이동식 에어컨이 있으면 얼마나 좋을까.'

"얼른 가게를 얻어 드리던가 해야지, 원."

그러려면 투자를 성공시켜야 한다.

국민을 생각하면 IMF가 오질 않길 바라지만, 개인이 난리친다고 해서 막을 수 있는 재앙이 아니다.

그리고 이미 늦었다.

그럴 바에는 이득을 취하는 게 나았다. 합법적인 선 안에서.

어머니를 위해.

이 가난을 벗어나기 위해.

하지만 힘들어할 사람이 마음 쓰이는 건 그가 공직자이기 때문일 터였다.

"복잡하구만."

"웃챠!"

"읍?!"

종혁은 갑자기 목을 걸며 체중을 싣는 누군가에 놀라 고개를 돌렸다.

"주장."

주장 설동익.

대회에 나가면 무조건 메달을 따는 초특급 고교 선수다.

3학년이다 보니 현재 용인대를 비롯한 여러 체대에서 러브콜을 보내는 선수.

밤송이머리임에도 제법 잘생긴 외모가 인상적이다.

"뭐가 복잡한데?"

"하하. 저녁 뭐 먹을까 걱정이죠, 뭐."

설동익은 대충 둘러댄 티가 너무 나서 눈을 가늘게 떴다.

"……수고했어. 합숙 전에 모두 번역해 줘서 고마워."

'합숙!'

유도부원이 합법적으로 서울을 벗어날 수 있는 기회다.

일반 학생들은 소풍이다 수학여행이다 수련회다 1년에 최소 두 번은 서울을 벗어나 여행을 떠나지만, 유도부는 합숙만이 서울을 벗어날 수 있는 날이다.

5월 중간고사 이후 다른 학생들은 모두 수학여행을 떠났는데, 땀내 나는 남자들과 하루 종일 유도를 해야 됐던 일을 떠올린 종혁은 주먹을 꽉 쥐었다.

고교 진학 이후 처음 가는 합숙훈련이라서 그런지 벌써부터 기대가 되었다.

'어디로 갈까나. 산? 바다?'

이왕이면 에어컨이 있는 곳.

부디 그러길 바랐다.

투욱!

묵직한 주먹이 종혁의 가슴을 쳤다.

"종혁아."

"예, 주장."

"여태껏 부를 위해서 희생했으니까 이젠 너만 생각해. 선배들이 뭐래도, 누가 발을 걸어도."

꽤 의미심장한 말이었다.

"……."

"이번 합숙에서 레귤러되길 바란다. 간다."

종혁은 멀어지는 설동익의 넓은 등을 보며 눈을 가늘게 떴다.

레귤러.

전국체전, 회장기, 청풍기, 총장기 등 메이저 대회에 출전할 수 있는 정예 멤버.

그런 레귤러는 여름 합숙과 겨울 합숙에서 정해진다.

"그러네. 메달을 따기 전에 레귤러부터 돼야 하네."

요새 정신이 없어서 잊고 있었다.

50명 유도부원 중 레귤러는 고작 다섯 명.

혹시 모를 상황을 대비해 백업 멤버도 다섯 명을 뽑지만, 그걸로는 성에 차지 않는다.

뿌드득!

"운동 빡세게 해야겠네."

몸을 푼 종혁은 가볍게 발을 굴렀다.

집까지 러닝.

종혁의 몸과 정신이 스탠바이에 들어갔다.

* * *

방학까지 시간은 빠르게 흘러갔다.

"걱정 마세요, 성오 어머니. 이제 성오도 2학년인데 레귤러돼야죠."

─믿어요, 박 코치. 이번에 친가에서…….

"아이고, 뭘 또 그런 걸 다."

좀 더 통화를 하다 전화를 끊은 박상묵은 저 멀리 버스 앞을 서성이는 종혁을 보았다.

"저 자식이 가장 큰 문제인데."

하지만 1학년이다.

외국어도 잘하고, 학교도 뒤집으며 영악한 모습을 보였지만 고작 17살.

테이핑법 등을 번역해 주긴 했지만, 그건 별개의 문제다. 문제는 없었다.

띠리링! 띠리링!

"예, 경주 어머니!"

레귤러 선발을 위한 합숙.

50여 명 어머니의 치맛바람이 휘날렸다.

한편 종혁은 버스 근처 핸드폰으로 어머니 고정숙과 통화를 하고 있었다.

권아영이 빠른 커뮤니케이션을 위해 장만해 준 애니콜 디지털.

고정숙에게는 고액 투자자에게 주는 선물로 두 대를, 요금까지 내준다고 변명했다.

－괜찮겠어? 엄마가 학교 한번 갈까?

"하지 마. 오지 마."

'아들이 형사인데, 촌지가 말이 돼?'

"아들 못 믿어?"

－믿을 수 있어야 믿지. 너 또 저번 같은 사고 치면 정말 죽는다.

"산골이나 바다 같은 오지에 갈 텐데 사고는 무슨. 끊어요. 선풍기 팍팍 돌리고, 얼음 떨어지면 사고."

－다치지 말고. 밥 잘 먹고.

무려 한 달. 이런 합숙 때마다 그녀는 언제나 걱정이 들었다.

"엄마도요."

－주전 못 된다고 실망하지 말고.

"걱정 마요."

전화를 끊은 종혁에게 다시 전화가 걸려 왔다.

-접니다. 박태규.

돈 벌 이야기.

종혁은 활짝 웃었다.

"상황은 좀 어때요?"

부르릉!

드디어 버스가 출발한다.

-나도 가고 싶은데! 나도!

소영과 수호의 칭얼거림을 뒤로한 종혁을 태운 버스는 서울을 빠져나와 강원도로 향했다.

길고 긴 시간.

어느 순간 푸른 수풀이 사라지며 쪽빛 바다가 펼쳐졌다.

"바다다!"

"우와! 바다!"

'바다구나!'

"이야, 이게 몇 년 만에 와 보는 거야."

범인 잡느라 바쁜데 한가로이 바다 갈 시간이 어디 있겠는가. 친목 도모로 겨우 계곡에서 고기 구워 먹는 게 다였다.

종혁은 거의 10년 만에 보는 것 같은 바다에 작게 흥분했다.

그러나 해안 두루를 따라 달린 버스는 다시 산으로 향했다.

"아니, 왜!"

"기사님, 이 길이 아닌 것 같은데요!"

"시끄러워, 이놈들아! 합숙하러 왔지, 놀러 왔어?!"

레귤러 선발을 위한 합숙이지만 아직 십대다.

그들의 입술이 비죽 삐져나왔다.

그렇게 달린 버스는 청해 수련원이란 허름한 간판이 걸린 수련원 안으로 들어갔다.

"자, 내려! 얼른 내려!"

우르르 버스에서 내린 아이들은 기지개를 켜며 시원한 공기를 마셨다.

"오, 크다!"

"숙소도 좋아 보여!"

체육관으로 보이는 시설이 무려 두 개에다 3층 숙소 건물 외관도 유스호스텔처럼 좋아 보인다. 그런 건물이 세 개나 있었고, 운동장도 트랙을 연상시키듯 넓었다.

아무래도 운동선수들을 위해 지어진 수련원 같았다.

"뭐해! 어서 짐들 빼!"

종혁도 얼른 달려가 버스 짐칸에 실린 짐을 뺐다.

앞으로 한 달간 입을 옷가지와 속옷. 약간의 간식들.

그 순간이었다.

부르릉

'음?'

버스가 한 대 들어오고 있다.

옆 숙소 건물 앞에 선 버스.

아, 다른 학교구나라고 생각했던 아이들의 눈이 곧 동그래졌다.

"꺄르르."

"호호호."

제법 떨어진 거리임에도 꽃향기가 날리는 것 같다. 체육복을 입었는데도 숨이 멎는다.

"어?"

"어어어?"

여자. 여학교다.

이윽고 그들의 눈이 마주쳤고, 시간은 잠시 멈췄다.

그리고 신성일은 이마를 잡았다.

그나마 위안이 되는 건 저쪽엔 눈길조차 주지 않은 채 짐을 들고 건물로 들어가는 종혁이 있다는 점이다.

'이 못난 자식들!'

"동일고 유도부!"

"예!"

반사적으로 튀어나오는 대답.

여학교건 뭐건 일단 짐부터 옮기고 한 바퀴 둘러볼 생각에 마음이 바빠졌던 종혁도 멈췄다.

숲속에서 즐기는 삼림욕. 어쩌면 바다까지도 갈 수 있었다. 다만 첫날만 휴식이라 놀 수 있는 시간은 오늘뿐.

좀 급했다.

그리니 신성일은 운동장 니머를 가리켰다.

"저기 길 따라 해변까지 뛰어! 선착순 열!"

"……?"

"이런 씨!"

종혁은 가방을 벗어 던지며 몸을 날렸고, 이내 정신을 차린 다른 부원들도 식겁하며 몸을 날렸다.

그렇게 동일고등학교 유도부 합숙이 시작됐다.

* * *

혈기 넘치는 십대 남자를 진정시키는 법은 뭘까.

답은 하나다.

다른 생각을 하지 못할 정도로 굴리면 된다.

하지만 그런 신성일의 의도는 의미가 없었다.

다음날.

끝없이 펼쳐진 동해 바다에 아침 해가 어스름히 빛나오는 이른 시간.

삑! 삑!

호루라기 소리에 맞춰 남자들과 여자들이 해변의 모래 위에서 교차한다.

깜빡, 깜빡 윙크하는 남자들.

꺄르르 웃는 여자들.

"예쁘다! 어디 학교냐!"

"우리? 선화여고 태권도부!"

"양궁부도 있지롱! 너흰?"

"동일고 유도부!"

"오오오!"

"야! 삐삐 번호 뭐야!"

선화여고.

강남에 있는 제법 명문 소리 듣는 여고다.

이대, 숙대 진학률이 높은 아가씨 학교. 그런 학교의 아가씨들이 반응해 주자 유도부원들의 눈이 뒤집혔다.

'그렇게도 좋을까.'

솔직히 종혁도 좋다.

다만 이들과 다른 의미다.

조카처럼 귀여운 꼬마들. 후에 나올 틴트 하나만 발라도 세상 예쁠 나이다.

'참 좋을 나이지…… 음?'

같은 시대에 같은 나이로 살아가지만 이 괴리감은 어쩔 수 없었다.

종혁은 너무 외진 곳이라 동네 사람 말고는 모르는 50미터 해변의 반환점을 돌아 감독에게로 향했다.

그리고 탄식했다.

'어이구야.'

도깨비처럼 일그러진 감독의 얼굴.

"그만─!"

헉헉!

가쁜 숨을 몰아쉬는 유도부원들을 향한 신성일의 눈빛이 실빛하다.

"이 자식들 아주 즐겁지? 곧 안 즐겁게 해 줄게. 가져와!"

"음?"

우르르!

종혁은 무언가를 들고 달려오는 코칭스태프들과 용돈 벌이로 이번 합숙을 위해 합류한 졸업한 선배들을 보곤 눈을 부릅떴다.

모래주머니.

그것도 스포츠용품점에서 산 게 아니라 포대 같은 걸 이용해 수제로 직접 만든 주머니다.

코칭스태프들은 그걸 직접 묶어 주었고, 곳곳에서 억 소리가 났다.

"억?!"

배에 찬 복대까지 못해도 족히 30킬로그램은 될 듯한 무게.

가벼운 뜀박질에 따뜻하게 달아오른 상쾌한 몸이 단숨에 무거워졌다.

"감사합니다, 선배님."

"뭘, 그런데 너 몸 좋다? 물살이 아닌데?"

그런데 감독은 여기서 끝낼 생각이 없었다.

"암 러닝 준비!"

천천히 걷는 암 워킹에서 한 단계 나아간 암 러닝.

"으악!"

"감독님!

종혁도 식겁했다.

"시끄러워, 이 자식들아! 선착순이다. 뛰어!"

종혁의 눈이 매섭게 떠졌다.

선착순은 경쟁, 레귤러 선발 경쟁 시작이었다.

'뭐든 첫인상이 좌우하지!'

첫인상이 좋으면 반은 먹고 들어간다.

이런 경쟁에서 절반을 먹는다?

'뛴다!'

생각이 섰으면 곧바로.

첫날부터 너무 빡세다며 반항하거나, 네발로 기는 모습을 여자들에게 보이기 쪽팔려 머뭇거리던 부원들과 달리 양손으로 모래를 움켜쥔 종혁이 해변을 박찼다.

파바바바박!

"어머?"

"저게 뭐야! 호호호!"

암 러닝이 뭔지 몰랐던 여고생들은 해변을 질주하기 시작한 한 마리의 곰을 보며 자지러졌고, 스태프들은 오? 하며 눈이 동그래졌다.

"저게 곰이야, 사람이야?"

힐끔 뒤를 본 종혁이 크게 외쳤다.

"선착순 1번은 제 차지입니다!"

"이런, 씨! 우리도 뛰어!"

우르르르르!

곰과 멧돼지들은 곧 멀어졌고, 신성일의 입가엔 흐뭇한 미소가 맴돌았다.

"음음, 역시 저놈이 보물이라니까."

그렇게 말한 신성일은 눈을 빛내며 기록을 시작했다.

당연히 종혁은 만점.

낯빛이 어두워진 박상묵 코치가 종혁을 노려보았다.

'쯧.'

* * *

아침의 가벼운(?) 러닝 후 근력 단련이 시작됐다.

넓은 체육관에 들어선 유도부원들은 감독이 빌린 전문적인 기구에 동요를 보였다.

'저거 헬스클럽에나 있는 거 아냐?'

그동안 대부분 맨몸 운동이 다였던 유도부 훈련.

좀 더 훈련하고 싶으면 집에서 10kg 이상 고중량 아령이나 고무줄을 잡아당기며 근육을 강화한 그들에게 있어 이런 전문적인 기구들은 좀 낯선 물건이었다.

"역시 낯선가……."

80년대부터 육체미체육관이라는 이름으로 점차 생긴 헬스클럽.

하지만 아직까지 헬스클럽은 좀 낯선 시설이다.

거기에 문제도 있었다.

"직접 해 보니까 사람 잡겠던데……."

관절에 엄청난 부하가 걸렸다.

하지만 NFL 훈련 자료에 이 기구를 이용한 운동이 있었다.

신성일은 기구를 가져온 이 순간까지도 관절을 포기하면서까지 근육을 얻어야 하나 깊은 고민에 빠졌다.

"확실히……."

"이거 하다 관절 나가는 애들 많죠."

대학이나 선수촌에 가며 최신식 훈련법을 배운 졸업생들도 약간 난색을 보였다.

그러다 기구 앞에 서는 종혁의 모습에 눈을 동그랗게 떴다.

철컹철컹!

"저! 저!"

바에 꽂히는 고중량의 디스크.

총합이 160kg이다.

감독은 질겁했다.

듣기로 초보자는 바에서부터 무게를 조금씩 늘리라고 했었다. 그러다 숙련됐을 때 자기 몸무게로 운동을 하고.

"야, 인마! 처음부터 그렇게 무겁게 하면…… 어?"

스태프를 비롯해 부원들까지 입을 떡 벌렸다.

'오, 드디어 쇠질을 하는 건가?'

돈을 모두 박태규에게 맡겼기에 등록하지 못한 헬스클럽.

몇 달 만에 보는 웨이트 기구에 눈이 뒤집힌 종혁은 후다닥 자세를 잡고 운동을 시작했다.

그러다 뭔가 이상함을 느꼈다.

'어? 다들 이거 어떻게 하는 줄 모르나?'

표정을 죽 훑어보니 자신만만해 보이는 이들의 숫자가 소수다. 그것도 거의 3학년.

대부분은 꺼리거나 어리둥절해하고 있다.

'뭐야? 관절 나갈까 봐 겁먹은 건가?'

원래 세상에서 가장 겁이 많은 게 운동선수다.

대부분 몸이 재산의 전부이자 미래이기에 함부로 굴릴 수 없는 게 운동선수.

'이거 잘하면?'

생각이 선 종혁은 냉큼 앞으로 나서며 디스크를 들어 바에 꽂았다.

"흡!"

묵직하게 어깨를 짓누르는 헬스 바.

종혁은 허리를 편 상태에서 허벅지가 무릎과 수평을 이룰 때까지 무릎을 굽혔다가 밀듯 폈고, 사람들은 멍하니 쳐다봤다.

"파!"

종혁은 고개를 모로 기울였다.

'가벼운데?'

160킬로그램의 중량이 너무나도 가볍게 느껴졌다.

겨우 90킬로그램에 불과했던 회귀 전의 중량.

피지컬을 믿고 70킬로그램을 더 추가했는데, 거뜬했다. 60킬로그램은 더 올려도 거뜬할 듯했다.

철컹!

종혁이 역기를 내려놓자 묵직한 무게에 기구가 약간 미

동을 보였다.

'조금만 더 올려 보자.'

본래 바벨 스쿼트는 이렇게 급격하게 무게를 늘리면 안된다. 초심자는 자기 몸무게의 절반, 숙련자는 자기 몸무게가 가장 적당하다.

그 이상은 보디빌더나 선수의 영역.

하지만 선수라 할지라도 이렇게 급격하게 무게를 늘리면 몸이 놀라 다칠 수 있기에 조금씩 중량을 추가해야 한다.

그러나 미친 피지컬을 보유한 종혁에겐 해당되지 않는 이야기였다.

종혁은 중량을 추가하기 위해 디스크를 잡아갔다.

그 순간 거친 손바닥이 종혁의 팔목을 잡았다.

"뭐 해, 인마!"

"예?"

"처음부터 이렇게 무겁게 하면 무릎 작살나, 이 자식아!"

종혁은 침을 튀기는 신성일 감독에게 고마워하며 손을 저었다.

"에이, 안 무거워요. 그리고 자세만 바로잡으면 관절 작살 안 납니다. 방금 제 자세 보셨죠?"

"응?"

종혁은 한발 물러서 스쿼트 자세를 취했다.

모두의 시선이 모였다.

"이렇게 허벅지가 무릎과 수평이 되게. 부하가 걸리니

까 무릎은 앞으로 내밀지 말고 직각으로. 엉덩이 쭉 빼고 척추는 최대한 펴서 허벅지로만. 후욱-."

굉장히 불편해 보이지만 아름답다고도 느껴지는 자세.

사람들은 이제 넋을 놨다.

"허벅지와 허벅지에 고무줄도 묶으면 허벅지 바깥쪽도 단련됩니다."

"……너 이 기구 다룰 줄 아는 거냐?"

종혁은 의아해했다.

"번역한 자료에도 이렇게 하라고 나와 있을 텐데요?"

"……박 코치!"

박상묵이 다급히 종혁이 번역한 자료를 들고 왔다.

종혁은 그중 스쿼트 자세의 그림을 가리켰다.

"보세요. 똑같죠?"

신성일은 멍한 얼굴로 고개를 끄덕였다. 그러다 이내 곧 얼굴을 구겼다.

"종혁아, 미안한데……."

신성일은 미안해하며 부원들의 자세를 잡아 달라고 부탁했다.

"네, 그렇게 할게요."

"정말이냐!"

종혁은 고개를 끄덕였다.

"운동은 몸 안 다치고 해야죠. 거기다 같은 부원이잖아요."

"이 자식아……."

이런 천사가 있을까.

이 합숙은 레귤러 선발을 위한 합숙이다. 여기서 누군가 몸을 다쳐 탈락할수록 종혁이 레귤러가 될 확률이 높아진다.

그걸 알고 있을 영특한 놈이 욕심 하나 부리지 않는 모습에 신성일은 감동하고 말았다.

"모두 기구 하나씩 잡아! 종혁이가 자세 잡아 줄 거다!"

"예!"

종혁은 후다닥 기구로 뛰어가는 선배들과 울상이 된 감독의 얼굴을 보며 조용히 주먹을 쥐었다.

'됐다!'

종혁은 재빨리 움직였다.

"아, 선배. 그 기구는 견갑골을 비롯한⋯⋯."

"그래? 이렇게 하면 돼?"

"좀 더 허리를 펴세요. 아, 주장! 벤치 프레스 할 때는 허리를 활처럼! 벤치 프레스는 팔만 단련하는 운동이 아니에요!"

종혁은 날아다니며 자세를 교정시켜 줬고, 신성일 감독과 코칭스태프는 그런 종혁의 뒤를 졸졸 쫓으며 교정된 자세를 기억하기 위해 노력했다.

체육관은 후끈 달아올랐다.

딱 한 명만 제외하고.

'이 자식을 어떻게 하지 않으면⋯⋯.'

모두가 감화되어 하나 되는 분위기.

위기감을 느낀 박상묵은 이를 악물었고, 이를 힐끔 본 종혁의 눈빛이 가라앉았다.

* * *

덜덜덜덜!

숟가락에 지진이 일어난 듯 음식이 흘러내린다.

"미치겠네. 벌써 15일이 흘렀는데 왜 여전히 힘들지?"

"지금 그게 문제야? 옆 숙소에 꽃들이 있는데 콜라 한 잔 마시지 못한 게 중요하지?!"

일어나서 잘 때까지 훈련의 연속이다. 훈련이 끝나면 그대로 곯아떨어지기 바쁘다.

여기에 식사 공간도 다르다 보니 아침 러닝 시간에 같이 뛰는 거 말고는 말 한마디 붙여 보지 못했다.

"왜 우린 행복할 수 없는 거야!"

"야, 그래도 작년이랑 비교하면 얼마나 낫냐. 운동다운 운동하는 것 같잖아."

유도부원들은 고개를 끄덕였다.

팔과 등 근육을 발달시킨다고 드럼통을 머리 위로 넘겼다가 내리거나, 손목을 강화한다고 고무줄을 잡아당겼다. 농구공을 짚으며 팔굽혀펴기도 했다.

대강 어디가 단련된다는 두루뭉술한 개념만 있던 원시적인 훈련법.

"그랬지. 참 헝그리 정신이었지."

있는 걸 가지고 어떻게든 훈련하려고 했던 작년까지와 비교하면 상전벽해라 할 수 있다.

똑같이 자전거 타이어 고무줄을 잡아당겨도 어디가 어떻게 단련되는지 세밀하고 확실하게 알고 있다. 그렇다 보니 부족한 부분도 확실히 알 수 있었다.

솔직히 얌전히 훈련하는 것 같아 걱정이 들었는데, 훈련 결과가 이야기해 주고 있다.

좋은 운동선수가 되기 위해선 좋은 기구와 수치화된 훈련법을 써야 한다.

그들은 이걸 깨우쳐 준 종혁을 찾아 고개를 돌렸다.

감독과 박상묵 코치, 졸업한 선배들, 주장 사이에 끼어 밥을 퍼먹고 있는 종혁.

'세 명은 확정인가…….'

인정할 수밖에 없다.

모든 훈련에서 언제나 선두에 있는 괴물 같은 피지컬을 자랑하고, 지식을 아낌없이 베풀었다. 아직 합숙이 끝날 때까지 보름이나 더 남았지만 세 번째 레귤러 멤버가 될 만했다.

하지만.

'빌어먹을! 박 코치님은 뭐 하는 거야!'

고마운 건 고마운 거고, 경쟁은 경쟁이다.

'어설픈 놈이면 나이로 찍어 누르기라도 할 텐데!'

모두가 어화둥둥 감싸고 있어서 그런 짓을 할 틈이 없다.

그들의 눈에 불똥이 튀었다.

"흠, 슬슬 독기가 올라오는구만."

예년과 비슷한 페이스인데 몸 상태가 훨씬 좋다.

근육 증가량이나 지방 감소량도 예년보다 나은 수준.

번역 자료를 받은 이후 새로운 훈련법을 많이 적용했지만, 그래도 운동선수는 헝그리 정신이라 생각했던 신성일 감독도 이번 합숙으로 인해 많은 걸 깨우쳤다.

그중 대표적인 건 도구를 갖춰도 헝그리 정신만큼 악바리로 만들 수 있다는 것과 알고 걷는 지옥은 더 힘들다였다.

'아이고, 저 보물! 평생 가자, 종혁아!'

"이제 피치를 올려도 될 것 같아."

"예, 그런 것 같습니다."

박상묵은 윤성오나 다른 부원들의 시선을 피하며 답했고, 빠르게 눈을 돌려 면면을 확인한 종혁은 촉이 서는 걸 느꼈다.

'애들 반응 보니까 돈 받아 처먹는 거 맞나 보네?'

아까부터 박상묵 코치를 신경 쓰는 무리가 있었고, 박상묵 또한 일부러 그 시선을 피한다.

척하면 척이다.

대충 숫자는 50명 중 약 30명.

그중엔 상반기 레귤러 멤버와 백업 멤버도 8명 포함되어 있다. 주장, 부주장을 제외한 전원인 셈.

훈련이 중반을 넘어가면서 초조해질 이들의 반응을 기

다렸던 종혁은 입술을 깨물었다.

'씨벌, 많이도 처먹었다.'

스캔들 규모가 크다. 증거를 모아 터트리면 유도부도 함께 날아간다.

다만 그러면 대회 출전도 날아가는 거다.

'골치 아프게 됐는데…….'

결국 생각했던 대로 실력으로 찍어 눌러야 하나 싶었다.

'이래도 문제는…….'

선후배 문화다.

종혁은 눈빛이 예사롭지 않은 선배들의 모습에 짜증이 났다.

'이 배은망덕한 것들!'

엎어 버리고 싶은데 엎을 수가 없어서 화가 났다.

"종혁아, 이것 좀 봐 줄래? 왜 이렇게 해야 하는지 봐도 잘 모르겠거든?"

"아, 그건……."

졸업한 선배 스태프가 내미는 자료를 본 종혁은 이쪽을 주시하며 귀를 여는 졸업생 전원의 모습에 입을 다물었다.

이번 합숙에 합류해 배운 게 많고, 생각이 많아졌는지 부쩍 스포츠 의학, 그중에서도 재활 치료나 스포츠 마사지에 관해 물어보는 그들.

종혁의 입가에 푸근한 미소가 맺혔다.

"허벅지 근육의 결을 따라 젖산을 풀어내면서 마지막

으로 혈 자리를 풀어 혈류 순환을 돕는다는 거예요. 하지
만 강하게 압박하면 도리어 근육에 손상을 줄 수 있으니
까 힘 조절이 필요하죠."

"아아, 그런 의미였구나. 고마워, 땡큐."

"더 궁금한 거 없으세요? 다른 선배님은요?"

"나! 이 부분 좀 설명해 줄래?"

"아, 그 부분은요."

"나도, 나도!"

어느새 몰려든 졸업생들.

종혁은 구김살 하나 없이 세심하게 설명을 했고, 감독
과 주장 설동익, 부주장은 서로를 보며 고개를 끄덕였다.

'이 정도면 3번째가 되기에 충분하죠?'

'음음, 충분하다 못해 넘치지!'

지식만 뽐냈으면 모르겠지만 몸뚱이가 미쳤다.

아직 마지막 일주일과 대련 토너먼트가 남았지만, 그들
은 이미 종혁을 3번째 레귤러로 생각하고 있었다.

"허허, 이놈들아. 밥은 먹고 물어봐라."

드륵!

"음? 벌써 다 먹었나, 박 코치?"

"예, 저는 자료 정리 좀 하겠습니다."

힐끔 종혁을 본 박상묵은 식판을 들고 떠났고, 종혁은
그런 그를 가만히 바라봤다.

"종혁아."

"아, 네!"

"허허, 밥 먹고 물어보라니까."

테이블이 화기애애해졌다.

* * *

식사 후 간단한 커피 타임.

식당에 있는 믹스 커피를 타서 밖으로 향하는 종혁의 어깨를 누군가가 툭 치곤 지나갔다.

"적당히 하자."

같은 무제한 체급의 2학년 선배, 윤성오였다.

"하아."

그래도 선배라 대우해 주려고 했는데 그 마음이 쏙 들어간다.

체육관 뒤로 온 종혁은 바깥의 시원한 공기를 마시며 쌓이는 울화를 풀어냈다.

검은 고양이 네로! 네로!

귀에 꽂은 워크맨 이어폰에서 흘러나오는 노래에 집중하려고 노력했다.

합의금을 받자마자 산 워크맨.

하지만 쌓인 울화는 도통 풀어지지 않았다.

"……확 제쳐 버려?"

'그럼 신 감독님이 엄청 슬퍼하실 텐데.'

"누굴 제쳐? 날?"

"아, 주장."

언제 왔는지 옆에서 히죽거리는 주장을 본 종혁은 눈을 가늘게 떴다가 이내 이마를 잡았다.

저벅 저벅!

'이런 씨부랄.'

박상묵 코치가 다가오고 있었다.

박상묵은 싱글 웃고 있지만, 공기가 서늘했다.

"종혁이와 할 이야기가 있으니까 자리 좀 비켜 봐."

할 이야기.

자신도 모르게 박상묵의 손을 살핀 주장 설동익은 이내 눈살을 찌푸리며 종혁의 앞을 슬쩍 가로막았다.

설동익도 알고 있는 박상묵 코치의 진실한 모습.

유도부에서 신성일 감독만 모를 것이다.

"심각한 일이 아니라면 같이 들어도 되겠습니까?"

"동익아."

"예."

"까불지 마."

"……!"

박상묵의 눈빛이 매서워졌다.

"네가 아무리 주장이라지만 월권은 하지 말아야지."

"……죄송합니다."

낯빛이 어두워진 설동익은 종혁을 보곤 몸을 돌렸다.

종혁은 멀어지는 설동익을 바라보다 이어폰을 뺐다.

"무슨 일이십니까?"

종혁은 아무것도 모른 척 물었다.

그런 그의 얼굴을 살핀 박상묵은 한결 편해진 얼굴로
입을 열었다.

"유도부 생활은 좀 어때? 힘든 점 있어?"

"갑자기요?"

유도부에 들어온 지 벌써 반년이다.

"그래, 이 코치님이 늦게 물어봐서 미안하다. 하지만
요새 좀 바빴잖아. NFL 자료 때문에 유도부도 혼란스러
웠고."

'하, 요놈 봐라?'

NFL 자료가 아니었다면 평소와 같았을 거다.

교묘하게 종혁을 까고 있다.

"아니, 그렇다고 네가 잘못했다는 건 아니야. 네가 얼
마나 헌신했는지 모를 사람이 누가 있어."

"아, 그렇습니까?"

"그래서 힘든 점은?"

"없습니다. 선배들도 잘해 주시니까요."

듣고 싶은 말을 들은 듯 박상묵의 얼굴이 환해졌다.

"그렇지?"

"그리고 저도 유도부를 발전시키기 위해 노력했죠."

'어딜.'

종혁은 미미하게 찌푸려졌다 펴지는 박상묵의 미간에
속으로 코웃음 쳤다.

'이 자식.'

역시 영특하다. 눈치가 좋은 건지 화제를 비튼다.

"그래, 노력 많이 했지. 그래서 그런데 종혁이 네가 좀 더 희생할 수 있을까?"

"지금보다 더 말입니까? 알지도 못한 NFL 사무국에 연락해……."

종혁은 자신이 했던 일들을 주르륵 말했다.

IOC와 일본 대학들에 전화한 일.

600페이지 넘는 자료를 받아 번역한 일부터 이번 합숙에서 했던 일까지 하나하나 조곤조곤 말했다.

'이런 빌어먹을! 뭐가 이렇게 많아?'

"덕분에 선배들 기량도 많이 좋아지고, 부상 횟수도 줄었는데……."

"흠흠, 알아. 종혁이 네가 노력한 거 누가 몰라. 하지만 넌 아직 1학년이잖아. 종혁아, 아직 네겐 시간이 많잖아. 안 그래?"

종혁의 낯빛이 딱딱하게 굳었다.

"지금 그 말은 저보고 경쟁을 포기하란 말입니까?"

"포기하라는 게 아니라 양보하라는 거지. 곧 졸업해야 하는데 어떤 성적도 못 내는 선배들이 안쓰럽지도 않니?"

'이렇게 나오시겠다?'

"그럼 2학년 선배들은요? 그분들도 포기…… 아니, 양보하는 겁니까?"

움찔!

"이 자식! 너 왜 이렇게 이기적이야! 1학년이면 1학년

답게 굴어야지! 너 혼자 잘났다고 다 될 줄 알아?!"

어른이라는 사회적 강자로서 약자를 협박하는 행위.

'이런 방식으로 상납 안 하는 애들을 포기시켰군?'

열이 후끈 솟았다.

"아, 그렇습니까? 전 이만큼 희생했는데도 정당한 경쟁도 못 하는 겁니까? 그럼 관두겠습니다."

"뭣?!"

"제가 왜 희생했습니까? 모두 우리 유도부 잘되라고 희생했는데, 그만한 대가도 못 받는 겁니까? 제가 레귤러 자리를 달라는 게 아니잖습니까. 그냥 경쟁만 할 수 있게 해 달라는 건데!"

짜악!

"그게 이기적이야, 이 자식아! 정말 실망이다! 이럴 거면 그냥 나가!"

신경질적으로 몸을 돌린 박상묵은 입꼬리를 비틀었다.

'어디서 감히.'

종혁이 왜 그렇게 희생했겠는가. 유도에 목을 맸기 때문이다.

즉, 종혁은 유도부를 나갈 수 없고, 이렇게 눌러 놨으니 박상묵 자신의 눈치를 볼 수밖에 없을 터였다.

여태까지 다른 애들이 다 그랬던 것처럼.

'아무리 영특해도 역시 어려.'

핸드폰을 빼 든 박상묵은 히히나락거리며 숙소로 향했고, 그 모습을 가만히 바라보며 볼을 만지던 종혁은 워크맨을 들었다.

탁!

워크맨의 정지 버튼이 눌러졌다.

녹음된 음성을 확인한 종혁은 히죽 웃었다.

"누가 나가게 될지는 한번 두고 보자고."

* * *

유도부 숙소가 뒤집어졌다.

짐을 모두 챙겨 떠나는 종혁 때문이었다.

"너 지금 뭐 해!"

종혁은 식겁해 달려 나온 신성일에게 허리를 굽혔다.

"그동안 감사했습니다, 감독님."

신성일은 철렁 심장이 내려앉았다.

"……일단 진정하고 이야기부터 하자. 뭣들 해! 구경났어? 방으로 들어가!"

신성일은 종혁의 손목을 잡고 감독실 안으로 들어갔다.

주장 설동익과 다른 스태프들이 따라왔다. 신성일은 그들이 종혁을 잡는 데 도움이 될까 암묵적으로 허락했다.

"갑자기 왜 이러는 거냐. 무슨 일 있어? 누가 뭐라고 해?"

"……아닙니다. 제가 부족해서 그럽니다."

뭔가 망설이는 모습.

고개를 푹 숙인 종혁의 힘없는 말투에 신성일의 낯빛이 딱딱하게 굳었다.

'이 배은망덕한 것들!'

레귤러 자리에 욕심낸 선배들이 종혁을 쥐 잡듯 잡은 게 분명했다.

"에라이, 이놈아. 고작 선배들한테 혼 좀 난 거로 이러는 거야?"

그렇지 않아도 뭔가를 눈치챈 설동익의 낯빛이 굳었다.

"그런 게 아닙니다. 선배들은 잘해 줍니다. 다만……아, 아닙니다."

거기까지 이야기하자 신성일 또한 무언가를 눈치챘다.

'박 코치, 이 자식!'

신성일은 얼굴을 쓸어내렸다.

"무슨 말을 들었는지 모르겠지만 다 너를 위한 말일 거다. 오해하지 말고. 응?"

"오해였을까요?"

살짝 물기가 섞인 음성에 신성일은 박상묵을 더 욕하면서 안도했다.

"당연하지, 인마! 그러니까…… 응?"

슥.

신성일은 종혁이 내미는 카세트테이프를 보았다.

"오해인지 아닌지는 감독님이 판단해 주십시오."

"이건……."

눈을 가늘게 뜬 신성일은 라디오 카세트 플레이어에 테

이프를 넣었다.

탁!

재생 버튼이 눌러짐과 동시에 곧 두 사람의 대화가 흘러나왔다.

"……."

싸늘해진 분위기.

쾅!

모두의 시선이 거칠게 열린 문을 보았다.

학부모와 통화를 하다 종혁의 퇴부 소식에 식겁하며 뛰어온 박상묵은 종혁을 노려봤다.

'저 또라이 새끼!'

나가란다고 정말 나가고 있다.

대형 사고였다.

급해진 그는 다급히 머리를 굴렸다.

"야, 이 자식아! 고작 몇 마디 들었다고 반항하는 거냐! 잘한다, 잘한다 하니까 이 새끼가 위아래도 모르고!"

"박 코치."

묵직한 음성에 박상묵은 입을 다물었다.

"감독님! 저놈한테 무슨 소리를 들었는지 모르지만……."

"조용히 해."

"감독님?"

신성일은 주장 설동익과 스태프들을 보았다.

"다 나가. 그리고 최종혁. 개소리 말고 방에 들어가 있어."

종혁은 허리를 꾸벅 숙이고 돌아섰고, 이를 악문 설동익이 종혁의 앞에 서며 박상묵의 시야를 가렸다.

조금 전 지켜 주지 못해서 얼마나 미안했던가.

지난 몇 달과 이번 합숙에서 많이 늘어난 기량.

종혁은 1학년임에도 남들보다 많이 알고 가진 것을 아낌없이 베푸는 천사다.

그런 종혁을 한 번 외면했고, 그 결과 종혁이 유도부를 나갈 뻔했다.

촌지를 주는 다른 놈들과 달리 동일고 유도부를 발전시킬 수 있는 유일한 놈, 종혁.

설동익은 각오를 다졌다.

까득!

'이젠 누가 뭐래도 내 새끼는 내가 지킨다!'

탁!

등 뒤로 문이 닫히자 설동익은 종혁을 응시했다.

"……진짜 나가려고 했냐?"

종혁은 찢어지려는 입가를 억지로 추슬렀다.

다 된 밥에 코를 빠트릴 순 없었다.

종혁은 씁쓸히 웃는 것으로 대답했고, 설동익은 이를 악물었다. 그건 졸업생 스태프들도 마찬가지였다.

'박 코치, 이 씨벌넘이 또!'

"최종혁."

"예, 주장."

"네 위로 내 아래로 다 집합시켜."

종혁은 눈을 동그랗게 떴고, 설동익은 얼굴을 일그러트
렸다.

"튀어!"

"……예!"

종혁은 달리며 생각했다.

'효과가 너무 좋은데?'

그간 베푼 것에 대한 효과.

지원군이 되어 줄 것까지는 생각했지만, 이렇게 엎어
버릴 거라곤 생각 못 했다.

'십대라 혈기가 넘쳐서 그런가?'

의아했지만 한 가지 확실한 건 있었다.

'박 코치, 짐 싸야지?'

종혁은 2층 첫 번째 방의 문을 열었다.

한편 감독실로 만든 방.

싸늘한 기운이 박상묵의 목덜미를 자극한다.

신성일은 움츠리는 박상묵을 보며 담배를 물었다.

"박 코치…… 아니, 상묵아."

"……예, 형님."

탁! 치익!

담배에 불이 붙었다.

"네가 감독할래?"

"혀, 형님?!"

"상묵아, 까불지 마."

박상묵은 하얗게 질렸다.

신성일이 지그시 노려봤다.

"너, 코치야. 선수 선발 권한은 내게 있다."

'이 새끼, 다 말했구나!'

"형님…… 아니, 감독님. 무슨 말을 들으셨는지 모르겠지만……."

"너랑 나랑 한 10년 됐나?"

뜬금없는 말.

하지만 덜컥 심장이 내려앉고, 사타구니가 아릿해졌다.

"혀, 형님……."

"그동안 살림 좀 많이 폈을 거야, 그치?"

박상묵은 눈을 부릅떴다.

'정말 다 알고 있구나!'

그는 무릎을 꿇었다.

"죄, 죄송합니다. 그, 그게 어떻게 된 거냐면……."

"네 애들 다 데리고 나가서 왕 노릇 할래, 아니면 닥치고 나갈래."

"……."

박상묵은 입술을 깨물었다.

그리고 깨달았다.

신성일은 모든 걸 알고 있었지만, 이전까진 필요에 의해 자신을 놔두고 있었다는 걸.

레귤러를 선발해도 영 이닌 놈을 선발하진 않았기에 놔뒀다는 걸.

하지만 지금은 아니다.

NFL 번역 자료.

그중 200페이지에 달하는 선진화된 스포츠 의학 자료와 종혁의 지식과 코칭 실력.

박상묵의 존재 의의가 사라졌다.

'최종혁, 이 개자식이 내 발목을 잡았구나!'

그의 천하는 이제 끝났다.

하지만 이대로 박차고 나갈 수 없다.

30명을 모두 받아 줄 학교도 없거니와 그들이 따라온다고도 장담할 수도 없다. 박상묵 때문에 동일고에 온 것이 아니기 때문이다.

명문 유도부 동일고라는 타이틀. 메달을 못 따도, 대회에 출전을 못 해도 진학에 큰 영향을 끼친다.

그렇기에 혹여 박상묵 때문에 왔다고 해도 나가지 못한다.

'어떡하지? 이걸 어떻게 헤쳐 나가야 하지?'

들켰으니 다 포기하고 맨몸으로 나간다?

안 된다. 돈 받아 처먹다 쫓겨난 코치 따위를 받아 줄 곳은 없다.

아니면 소문이 퍼지지 않는 먼 시골의 초등학교 유도부로 가든가.

아무리 궁리해도 답이 나오지 않음에 그는 어쩌다 이렇게 됐나 눈물을 삼켰다.

'두렵다.'

그리고 끝났다.

"……살려 주십시오, 형님."

서울은 힘들겠지만, 그래도 대도시에서 코치 짓을 하려면 신성일의 자비가 필요하다.

"그래."

신성일은 담배를 끄며 일어섰다.

그의 눈빛은 소름 끼치도록 무심했다.

"이번 일은 불문에 부치마. 그동안 수고했다. 배웅 안 한다."

"감사…… 합니다. 크흐흑."

여태껏 누려 오던 천하가 끝났기에 박상묵의 눈시울이 붉어졌다.

탁.

문을 닫은 신성일은 다시 담배를 물었다.

"적당히 했어야지, 인마."

탁! 치익!

"……후우, 쓰구만."

10년을 함께한 동생 같은 동료를 잃은 날.

입맛이 썼다.

"이제 이 영악한 놈을 달래는 척해야겠구만."

테이프를 내민 순간 신성일은 알아차렸다.

이게 종혁이 짠 판임을.

그러나 움직여 줄 수밖에 없었다. 박상묵을 비호하면 정말 나갈 것을 눈치챘기 때문이다.

박상묵 때문에 종혁을 잃는다?

쥐 잡자고 대들보 뽑는 격이다.

앞으로 3년간 유도부의 미래를 책임질 인재. 그런 인재를 놓칠 수는 없었다.

"그놈이 다른 학교 가서 우리 유도부 앞길 막을 건 왜 생각 못 했어."

여태껏 지켜본 종혁이라면 충분히 그럴 수 있다. 지금도 17살 같지 않게 노련히 사람들을 다루지 않던가.

"하여튼 영악한 놈."

하지만 이런 영악함이 싫지 않았다.

아니, 오히려 기꺼웠다. 이런 영악함이 유도부에 빛을 가져다줄 것이기에.

그는 이용당했다는 감정을 털어 버리며 종혁 방의 문을 열었다.

"음? 이놈…… 아니, 다 어디 갔어?"

ㅡ이 개새끼들아!

체육관이 있는 방향을 본 신성일은 피식 웃었다.

"그래, 엎어라. 엎어."

박상묵이 나가게 됐으니, 박상묵의 아이들을 눌러야 했다.

감독이 할 수 없는 그들만의 일.

신성일은 웃음을 흘리며 담배를 물었다.

"잘해 봐라."

'가만 보면 주장 이 양반도 머리가 좋단 말이지.'

부원 50명을 모두 집합시킨 설동익은 2학년을 조졌다.

3학년을 제치고 레귤러가 되고 싶냐고. 아니면 왜 경쟁이고 나발이고 레귤러가 되고 싶다고 조른 거냐고. 자신이 그걸 봤다고.

박상묵에게 촌지를 건넨 2학년 중 10명을 본보기로 조져 버렸다.

그에 박상묵에게 촌지를 건넨 3학년들은 설마 들켰나 겁을 먹으면서도 울컥했다.

똑같이 돈을 줬다면 3학년이 먼저.

근데 얘기들 들어 보니 자신들을 제치고 레귤러가 되려고 했던 것 같다.

눈이 돌은 그들은 10명을 쥐 잡듯 잡았다.

그걸로 모든 상황은 끝이었다.

박상묵은 2학년 10명이 촌지 운운하며 조른 게 신성일 감독에게 들켜서 퇴직한 것으로 알려졌고, 그로 인해 그 10명은 공공의 적이 되었다.

한데, 이보다 놀라운 건 신성일이 박상묵을 단칼에 자른 점이다.

'판례로 생각해도 됐을 덴데…… 역시 감독님이시다.'

그가 유일하게 존경하는 스승.

이런 감독의 묵인 덕분인지 박상묵이 사라져서 생긴 충격은 빠르게 수습됐다.

'뭐, 잘 사쇼. 이젠 돈 같은 거 받지 말고.'

종혁은 목을 꺾으며 일어섰다.

합숙 23일 차.

드디어 레귤러 선발의 무한 대결이 시작됐다.

"잘할 수 있겠냐?"

이렇게 유도부를 뒤집어 놨으면 그랬을 만한 이유와 결과를 보여야 했다.

그건 바로 실력을 통한 레귤러 선발.

신성일의 물음에 종혁은 피식 웃으며 발을 뗐다.

"레귤러 잠바는 큰 사이즈로 준비해 두세요."

"푸하핫!"

'그래, 어디 한번 날뛰어 봐라.'

나머지 49명도 같은 제자라 차마 밖으로 꺼내지 못한 응원.

그러나 마치 들었다는 듯이 종혁은 입을 찢으며 매트 위에 섰다.

박상묵이 사라진 게 그렇게 후련할 수가 없었다.

커다란 체육관, 열 쌍의 선수가 선 매트 위.

그중 같은 1학년, 150kg 부원이 잔뜩 긴장한 얼굴로 맞은편에 서 있다.

"자, 잘 부탁해."

"그래, 나도 잘 부탁한다."

서로 인사하고 심판을 보는 스태프에게도 인사한 둘은
자세를 잡았다.

"절대 안 질 거야! 네가 아무리 잘났어도!"

"오냐, 내년 겨울에 또 붙자."

"……이런 씨! 으아아악!"

내년 1월 상반기 레귤러 선발에서 보자는 의미.

눈이 뒤집힌 1학년은 선불 맞은 멧돼지처럼 달려들며
손을 뻗었다.

느려진 시간 속, 오른손으로 강하게 그의 양팔을 쳐 낸
종혁은 그대로 멱살을 잡으며 허벅다리를 걸었다.

격투에 가까운 패링에 이은 허벅다리후리기.

부웅.

150kg 거구가 큰 원을 그리며 매트 위에 메다꽂혔다.

쿠웅!

"……하, 한판! 최종혁 승!"

"뭐, 뭐야!"

"뭐가 이렇게 빨라?!"

초살(秒殺).

신성일 감독이 벌떡 일어나고 사람들이 경악할 때 멱살
을 풀고 일어난 종혁은 주위를 둘러보며 짓궂게 웃었다.

"자, 빨리빨리 합시다!"

앞으로 일주일, 70승 선착순을 위한 무한 대결.

하루 10승을 하지 않으면 탈락하고 마는 지옥의 레이
스.

이제 69승 남았다.

"윤성오! 올라가!"

종혁은 올라온 2학년 선배를 보며 씩 웃었다.

'윤성오.'

박상묵 코치가 사라졌어도 그는 아직 남아 있었다.

'빌어먹을, 이젠 정말 실력이야. 성오야, 넌 할 수 있어. 저 1학년 새끼 따윈 아무것도 아니야!'

"아자! 아자―!"

윤성오는 자세를 잡으며 겁을 주기 위해 이를 드러냈다.

"시작!"

"씨발, 네가 잘해 봤자악?!"

붕 회전하는 세상.

터엉!

앞으로 68승.

"다음―!"

최종혁이란 괴물이 유도부원 49명을 향해 거칠게 포효했다.

6장. 봉사활동에서 생긴 일

봉사활동에서 생긴 일

정확히 30일이 되자 합숙은 끝났다.

대부분은 울며 내년을 기약하고, 소수는 웃었던 합숙.

옆 숙소에 여고가 있었는데도 아무것도 못 한 것에 대해선 모두가 울었다.

-후, 통화하기 힘들다. 그죠?

아직은 터지는 곳보다 터지지 않는 곳이 많은 기지국.

종혁의 입가에 미소가 맺혔다.

"오랜만입니다, 권 PB님. 여의도 분위기는 어떻습니까?"

-똑같이 안일하죠. 뭐, 그래도 슬슬 위험을 감지하는 것 같기는 해요. 극히 소수지만.

"홍콩 쪽은요?"

그들은 홍콩에도 시무실을 얻어 페이퍼 컴퍼니를 만들었다.

-그것에 대한 매입이 끝났어요. 제대로 터져 주면 여기서만 30배를 건질 것 같아요.

"호, 그게 아직 남아 있었습니까?"

일본, 홍콩, 월스트리트.

노무라 증권이나 JP모건 등 세계적인 증권사에서 다루는 한국 부도에 관한 도박성 투자 상품.

상승이 아니라 하락에 중점을 둔 상품이다.

위기가 가시화되면 가장 먼저 사라진다.

-정말 아슬아슬했죠.

한국 부도가 가시화되자 세계적인 증권사들은 발행했던 상품을 가입 못 하게 하거나 수령액을 팍 줄이는 추세로 돌아섰다.

이런 상품에 가입하기 위해 홍콩에 페이퍼 컴퍼니를 만들었지만, 가입할 수 있을지는 미지수였는데 아슬아슬하게 터닝 포인트 전에 구매를 할 수 있었다.

"정말 수고하셨습니다."

-음, 그런데 우리의 플랜대로라면 기간을 좀 더 길게 잡았어도…….

"아뇨. IMF의 시어머니 짓은 길게 가지 못할 겁니다."

-……우리나라의 저력이 그렇게 대단했던가요?

'국민들의 저력이 대단한 겁니다. 환란이 들이닥치면 분분히 일어서는 한국인의 힘.'

금 모으기 운동.

한국인의 단합된 힘이 세상의 시선을 바꿔 놓았다.

"그냥 믿어 주십시오. 여태까지 그래 왔던 것처럼."

―……휴, 알았어요. 내가 종혁 씨 안 믿으면 누굴 믿겠어요?

"하하."

―치, 아! 그보다 합숙은 좀 어때요? 레귤러는 됐어요?

"레귤러요?"

종혁은 책상을 보았다.

비닐에 싸여 있는 검은색 트레이닝 상의.

포효하는 백호 한 마리 위로 동일고라는 세 글자가 크게 박혀 있고, 그 밑에 regular란 글자가 새겨져 있다.

2일 하고도 한나절, 하루 30승.

종혁은 동일고 유도부의 그 누구보다 먼저 레귤러 자리를 차지했다.

"뭐, 껌이었죠."

잠시 수화기 너머에 침묵이 내려앉았다.

불편한 것인지, 기쁜 것인지는 오직 권아영만 알 것이다.

―와, 축하드려요! 이거 축하주, 아니 축하 파티를 해야 하는 거 아니에요?

"저도 그러고 싶지만……."

종혁은 입맛을 다셨다.

"봉사 활동을 가야 해서요."

―네?

봉사 활동.

작년부터 서울과 다섯 대도시 초중고에서 시행했고, 올

해부터는 대학들 모두 사회봉사 활동을 점수화하겠다고
발표했다.

경찰대나 한국대 법대를 노리는 종혁으로서는 결코 빼
먹을 수 없는 일이었다.

＊　＊　＊

우글우글 사람들이 가득한 남대문 시장.

그 입구부터 시끄럽다.

"골라골라, 잡아잡아! 골라!"

리어카 좌판 위에 올라가 랩인지 뭔지 모를 말을 빠르
게 내뱉는 아저씨.

한 손에 장바구니를 움켜쥐고 조금이라도 예쁜 옷을 차
지하기 위해 팔을 뻗는 아주머니들.

"거기 학생 이리 와! 싸게 해 줄게! 맛있어!"

"미군 워커 팔아요!"

잡채호떡을 파는 아주머니가 손을 흔들고, 저 먼 골목
에선 십대 꼬마가 크게 외친다.

그렇게 걷는 와중에 누군가 부르는 소리에 뒤를 돌아봤다.

"종혁아!"

소영과 수호가 우다다 달려온다.

"천천히 와. 넘어질라."

"흐히히. 아, 레귤러된 거 축하해!"

"이제 금메달 따는 일만 남은 거야?"

'똥강아지가 두 마리네.'

한 달 만에 보니 그 꼬리가 더 잔망스럽게 흔들리는 것 같다.

"와, 여기가 남대문이구나."

"어? 소영이 너 안 와 봤어?"

"응, 난 주로 백화점 다녀서. 수호 넌 와 봤어?"

"난 많이 와 봤지. 여기엔 없는 게 없잖아."

"정말?"

'그랬지. 이 시절에 남대문은 없는 게 없었지.'

돈만 주면 탱크도 구할 수 있다던 청계천과 남대문.

참 아련한 추억이었지만, 종혁의 눈은 시장 전체를 훑고 있었다.

"때끼가 있으려나……."

"응? 때끼?"

"아, 아니야."

'나 참, 시장 왔다고 소매치기가 있는지부터 찾네.'

이래서 습관은 무서웠다.

"가자."

종혁이 그들을 이끈 곳은 남대문 파출소였다.

그 문 앞에 서자 소영이 머뭇거렸다.

"종혁아, 정말 여기서 해도 괜찮을까?"

파출소나 경찰서는 범죄자가 가는 곳이다. 그녀로선 어렵고 무서울 수밖에 없었다. 그건 수호도 마친가지였다.

"나만 믿어. 이곳만큼 편한 곳도 없을 테니까."

'세상 꿀 빠는 곳이지.'

그리고 더 꿀을 빨 수 있게 만들 계획을 짜 왔다.

"저, 정말?"

종혁은 대답 대신 문을 열었다.

딸랑!

시선이 모였다가 흩어졌다.

"전철역은 왼쪽으로 나가서…….”

"김종두 강력반 반장님이 보내셔서 왔습니다."

"흡?!"

강력반 반장이란 말에 경찰들이 얼어붙을 때, 안에서 후덕한 덩치의 오십대 초반으로 보이는 안경 낀 아저씨가 걸어 나왔다.

"아이고, 너희가 걔들이구나? 동일고?"

'경정?'

무궁화 셋, 파출소장이다. 까마득한 선배였다.

종혁은 반사적으로 올라가려던 손을 겨우 붙들 수 있었다. 대신 허리를 90도로 숙였다.

"안녕하십니까, 소장님! 최종혁입니다!"

"아, 안녕하세요!"

"안녕하세요!"

"어? 어…… 으하하하핫! 그래, 이 아저씬 소장인 박창도야. 봉사 활동 하러 왔다고? 아, 들어와. 성찬아, 여기 음료수 세 개! 난 커피!"

그들은 안쪽 회의실로 안내됐고, 곧 음료수가 나왔다.

'흠, 종두 그 자식이 잘해 달라고 부탁하긴 했는데…….'

박창도는 신기해하며 회의실을 둘러보는 둘과 달리 너무 편하게 앉아 있는 종혁을 보며 눈을 가늘게 떴다.

'동일고 학교 폭력, 송양자 사기 미수, 구로동 돈가스 납치.'

이 중 학교 폭력은 전국을 뒤집은 사건이다.

이후 전국 중고등학교에 조사가 이뤄졌고, 엄청난 피해 사실이 밝혀지면서 다시 한번 한국을 뒤집었다.

거의 학교 폭력과의 전쟁이 선포된 수준이었다.

이 때문인지 김종두는 본청 진급이 거의 확정된 상태였다.

본청은 아니라도 청에 들어가고 싶은 그로서는 미치도록 부러운 상황이었다.

'똘똘한 놈이니 그냥 해 달라는 거 해 주는 게 좋을 거라고 했지? 어디…….'

"흠, 그런데 어쩌지?"

"네?"

"우리 파출소에서 너희가 할 일이 없는데……."

청소를 시키려고 해도 하루에도 네다섯 번씩 하는 게 청소다.

'알지, 알아.'

그놈의 보는 눈이 뭔지 순경들만 고생할 뿐이다. 솔직히 은행보다 깨끗한 게 바로 파출소다.

'이런 이유도 있어서 파출소를 신청한 거지.'

방 청소도 잘 안 하는데, 남의 회사 청소라고 하고 싶을 리 없었다.

"그렇다고 너희보고 범죄자 조서를 받으라고 할 수도 없고."

"네에?!"

"으하하핫! 농담이야, 농담!"

종혁은 하얗게 질린 둘과 이쪽을 보며 입만 웃는 박창도를 보며 눈을 가늘게 떴다.

'이 양반 봐라?'

뭔가 바라는 게 있다.

종혁은 그게 뭔지 대번에 눈치챘다. 그의 입가에 미소가 번졌다.

'이러면 이야기가 편하지!'

안 그래도 꺼내려고 했던 이야기.

"저흰 경찰 아저씨들처럼 순찰해 보고 싶습니다!"

"······순찰?"

"예! 그리고 길을 잃은 사람에게 길도 안내해 주고, 어려운 사람도 돕고 싶습니다."

"어이구, 힘들 텐데······."

순찰은 경찰의 영역이지, 이런 꼬맹이들에게 맡길 일이 아니다.

하지만.

"그래서 다른 애들이 무서워서 안 오는 파출소도 보람차다는 것을, 경찰 아저씨가 친절하다는 것을 알리고 싶습니다."

움찔!

순간 박창도 소장의 머릿속에 무언가 스쳐 지나갔다.

"어? 정말? 정말로 무서워서 파출소에 안 오니?"

"예, 파출소는 무서운 곳이라는 느낌이 강해서요."

왠지 같은 청소를 해도 빡세게 청소해야 할 것 같고, 걷는 것도 눈치 보며 걸어야 할 것 같은 파출소.

이런 느낌 때문인지 실제로 먼 미래까지 파출소는 청소년 자원봉사 활동에서 꼴찌를 담당하고 있다.

"그치?"

종혁의 물음에 소영과 수호가 고개를 끄덕였다.

"제 친구 중에서도 파출소로 봉사 활동 간 애는 없어요."

"맞아요. 다 동사무소나 고아원에 갔어요! YMCA나요!"

"흠, 그렇단 말이지…….."

'애들에게 인기 없는 파출소……. 내가 이 인식을 바꾼다면?'

파출소의 소장이 진급하고 싶으면 실적도 실적이지만, 파출소를 어떻게 꾸렸냐가 중요하다.

그중 미담은 아주 좋은 소재다.

더욱이 종혁은 여러 사건에 도움을 주며 용감한 시민상까지 탄 아이. 제법 주목을 받게 될 터다.

거기까지 생각한 서장은 헛웃음을 지었다.

"이 자식?"

"예?"

"예는 뭔 예야, 이놈 자식아. 아저씨 같은 경찰 앞에선 연기하는 거 아니다.”

그제야 종혁은 씩 웃었다.

역시 금방 알아차릴 줄 알았다. 선수는 속일 수 없는
법이고, 어차피 속일 마음도 없었다.

그 미소에 박창도는 혀를 내둘렀다.

“요놈 시키. 아주 선수네, 선수야.”

능구렁이가 따로 없다. 마치 구르고 구른 사람과 상대
하는 것 같다.

“흐흐, 그렇다면?”

“그래, 네 말대로 해 주마. 봉사 시간도 팍팍 줄게! 20
시간?”

“이왕이면 30시간이요! 감사합니다!”

“거참…… 성찬아!”

“예, 소장님!”

벌컥!

회의실의 문이 열렸다.

“이놈들 조끼 입히고, 그 방범 순찰 완장 있지? 그것도
채워. 아니, 그냥 무전기까지 채워 줘.”

할 땐 확실하게 해야 했다.

갑자기 휙휙 진행된 상황에 수호와 소영은 정신을 차리
지 못했고, 종혁은 여유롭게 몸을 일으켰다.

“아, 그런데 내가 허락 안 했으면 어떻게 하려고 했냐?”

“그러면 아마…… 다른 파출소에 갔겠죠?”

진급을 원하는 소장이 있는 다른 파출소.

"능구렁이 같은 놈. 가 봐."

"옙! 아, 충성!"

"허허, 그래. 충성이다, 요놈아."

그렇게 종혁과 둘이 나가자 소장은 전화기를 들었다.

"어, 김 기자, 난데?"

―아이고 이게 누구세요. 박창도 서장 선배님 아니세요.

"아직은 소장이야, 인마."

그의 위치와 나이쯤 되면 기자 한두 명은 아는 법이다.

그는 조곤조곤 이야기를 풀어 갔다.

* * *

"무전기가 무거우면 어깨끈에 걸어 놓는 것도 좋아."

"이, 이렇게?"

"음, 잠깐 이리 와 봐."

'흡?!'

요즘 부쩍 좋은 냄새가 나는 종혁이 다가오자 소영은 눈을 동그랗게 떴다. 그리고 가슴의 무전기를 떼는 손에 그대로 굳어 버렸다.

그걸 본 수호는 얼굴을 와락 구겼다.

"종혁아, 나도! 무거워!"

"그래? 잠깐만?"

'저게?!'

'메롱!'

'또 싸우냐.'

고개를 저은 종혁은 무전기 전원을 켜고, 복장을 점검했다.

삐리릭!

무전기 채널까지 확인하는 그 모습에 서성찬 순경은 입을 떡 벌렸다.

'선배님?'

왠지 경찰 선배인 것 같은 능숙함. 청바지 위에 경찰조끼를 걸쳤는데도 어울린다.

순경 반년 차인 그는 자신보다 능숙한 그 모습에 자괴감마저 들었다.

"모, 목단봉도 줄까?"

'크, 목단봉.'

오랜만에 듣는 단어다.

미래엔 삼단진압봉으로 교체되는 목단봉.

"아뇨, 괜찮습니다."

목단봉은 위험하다.

종혁이 아니라 수호와 소영이 위험했다.

무기가 있으면 써 보고 싶고 의지하고 싶은 게 사람 심리.

실제로 피해야 하는 순간에 무기만 믿고 달려들다 크게 다치는데, 주로 혈기 넘치는 초년 순경들이 그러는 경우가 많다.

어차피 사건 현장 근처는 가지도 않을 테지만, 혹시나 하는 상황은 미연에 방지해야 했다.

"자, 그럼 가시죠!"

"으응."

"야, 너희들도 그만 싸우고 가자!"

"싸, 싸우기는! 안 싸워!"

"맞아, 내가 밤톨 따위랑 왜 싸워?"

"뭐? 따위? 야, 전봇대!"

"이게!"

한숨을 쉰 종혁은 무시하며 성큼 걸음을 옮겼다.

"앗! 같이 가!"

그렇게 그들은 수많은 사람이 부대끼며 하루에도 참 많은 일이 일어나는 남대문 시장 안으로 향했다.

* * *

"여기가 다쉬락의 나라."

험한 뱃사람들의 간식, 다쉬락.

마요네즈를 뿌려 먹어도 좋고, 소시지와 함께 먹어도 맛있어 뱃사람이라면 출출할 때 가장 먼저 찾는 다쉬락.

한국어로는 도시락.

추운 나라, 러시아에서 손꼽히는 무역 회사에 다니다 그만둔 후 다쉬락 같은 아이템을 찾기 위해 한국에 온 금발 푸른 눈의 삼십대 중년인 빅토르는 김포 공항에 서서 눈을 가늘게 떴다.

"분명 있을 거다. 나라가 어려워지니 좋은 것들을 싸게 주울 수 있을 거야."

얼마 전 거의 마지막 타이밍에 홍콩의 어느 회사가 대량의 투자 상품을 계약했다.

국가가 부도나지 않는 이상 가능하지 않은 저점에 포인트를 잡은 말도 안 되는 도박성 상품.

그걸 기점으로 모든 증권사와 은행들이 그런 류의 상품 가입을 막고 있다.

문제는 그 홍콩 회사의 주인이 한국인이라는 소문이 돈다는 것.

같은 나라 국민마저도 국가부도에 베팅한다?

정말 심각한 일이었지만, 그에게는 기회였다.

도시락 같은 좋은 상품을 싸게 계약해 유통할 기회.

나라가 망할 정도라면 기업의 상태는 말할 수도 없을 것이다.

"금방이라도 쓰러질 듯 휘청거릴 테지. 그런 상황에서 새로운 유통 판로가 나타난다? 그것도 외화를 벌 수 있는 판로가?"

이쪽이 유통을 맡을 생각이라 그들로서는 리스크도 없다. 어떤 기업이라도 환영할 테고, 빅토르는 러시아에서 통할 것 같은 상품만 주워 가면 된다.

어쩌면 도시락의 러시아 유통을 맡을 수도 있었다.

몸이 후끈 달은 그는 얼른 택시에 올랐다.

"어이고, 어서 오세요! 웰컴, 웰컴!"

"어……."

그는 얼른 품에 있는 쪽지를 꺼냈다. 몇 가지 회화 목록을 적어 둔 쪽지였다.

  "아, 쉬장에 가?"

  "가는 니미럴 반말이고. 하여튼 양키 새끼들은 위아래가 없어. 쉬장? 택시에서 쉬할 곳을…… 아, 시장?"

  "Да! Да(그래, 그거)!"

  그 나라를 알고 싶으면 시장에 가라고 했다.

  어차피 두 달을 잡고 온 스케줄.

  그는 천천히 밑바닥부터 훑을 계획이었다.

  "어떤 시장? 남대문? 동대문? 용산? 청계천?"

  "췌일 큰!"

  "아, 제일 큰 곳? 그럼 남대문이지. 오케이, 오케이! 그럼 출발합니다!"

  부르릉!

  하얀색 대현 스텔라 택시가 도로를 달리기 시작했다.

  "여기! 여기! 아, 거 좀 내려 줍시다! 아줌마만 바빠?"

  말도 않고 합석시킨 사람들이 내리자 겨우 내릴 수 있게 된 빅토르는 우글우글 사람이 내뿜는 활력으로 가득찬 남대문을 보며 눈을 빛냈다.

  "스파씨바!"

  "뭐, 씨바? 이 씨벌늄이?"

  "땡큐!"

  "아, 오케이. 오케! 굿 빠이!"

빅토르는 신나게 음악까지 틀어 주며 친절하게 태워 준 택시 기사를 향해 손을 흔들어 주었다.

합석은 러시아에서도 자주 일어나는 일이라서 불쾌하지 않았다.

"한국 택시는 재밌네. 러시아 택시는 참 재미없는데 말이야."

이를 보이며 웃는 게 미덕이 아닌 나라, 러시아.

모르는 사람에게 말을 걸었다간 주먹이 날아온다.

빅토르는 이름 모르지만 꽤 중독성 있던 네 박자의 노래를 떠올렸다.

"음악도 가져갈 수 있으면 가져가야겠어."

고개를 끄덕인 그는 남대문을 보며 숨을 길게 내뱉었다.

"자, 그럼 가 볼까?"

그는 같은 한국인도 아차 하면 코 베이는 마굴, 남대문을 향해 발을 내디뎠다.

* * *

'여긴 어디? 난 누구?'

어어? 하다가 양손에 들린 비닐봉지가 스무 개다.

바지, 셔츠, 양말, 속옷, 순대.

러시아와 다른 느낌으로 색상이 화려한 디자인이라 구매를 하긴 했지만, 마구잡이로 떠넘기는 그 행동은 정신을 쏙 빼놓기에 충분했다.

'그리고 이놈들은 또 뭐고?'

주위를 둘러싼 네 명의 남자.

"거, 좋은 거 있다니까. 이리 와요."

빅토르는 눈앞에 골목이 보이자 반사적으로 멈춰 섰다.

뒷골목에 함부로 가지 마라.

당연한 이야기다.

"어휴, 좋아. 여기서 봅시다. 이봐요, 나한테 아주 좋은 게 있거든? 당신 이런 거 좋아해? 내가 싸게 줄게."

'비디오테이프? ……포르노?'

그의 눈에 경멸이 들어찼다.

"어라? 이 양키 새끼 눈깔 봐라?"

"Убирайся с дороги(비켜)."

그들로서는 전혀 들어 본 적 없는 언어.

190cm 장신의 외국인이 노려보며 몸을 미니 그들은 순간 겁먹을 수밖에 없었다.

하지만 그것도 잠시였다.

"에이, 이렇게 가면 곤란하지! 사람을 고생시켰으면 돈은 주고 가야 할 거 아니야! 돈! 머니!"

턱!

가슴을 미는 손에 그의 미간이 확 구겨졌다.

'쳐 죽일까?'

아니다. 남의 나라에 와서 사고 칠 순 없었다.

"Положить(놔)."

"뭐라는 거야! 한국어로 해!"

"어? 양아치다."

"어떤 새끼가?!"

뒤에서 들리는 소리에 고개를 돌린 그들의 눈에 경찰이 보였다.

네 명의 사내는 굳었고, 빅토르는 의아해했다.

'한국 경찰은 사복과 정복을 함께 입나?'

그리고 꽤 어려 보였다.

종혁이었다.

* * *

완장이란 참 신기한 물건이다. 그저 차기만 했을 뿐인데 가슴이 펴지고, 눈이 매섭게 떠진다.

하지만…….

"양말 한 장에 백 원! 속옷 오백 원!"

마음과는 다르게 너무도 싼 가격이 그들의 귀를 붙잡고, 분식집과 식당에서 흘러나오는 맛있는 냄새가 그들의 코를 유혹한다.

"남대문 시장은 만두가 맛있는데."

골목에 있는 식당의 갈치조림도 맛있고, 닭곰탕 국물은 한 수저만 먹어도 바로 속이 풀린다.

꼬록 꼬르륵!

밥을 먹은 지 겨우 2시간이 지났을 뿐인데도 배가 음식을 달라고 요동을 쳤다.

"정말? 남대문 시장은 만두가 맛있어?"

"그렇지. 어, 마침 저기……."

가메골 손왕만두, 통칭 가메골.

와글와글.

사람들이 만두집 앞에 줄을 서 있었다.

얼굴을 훅 스쳐 지나가는 만두 찐 냄새에 종혁은 볼을 씹었다.

"아오, 못 참겠다! 애들아, 일단 먹자!"

"그래! 아, 근데……."

소영이 서성찬 순경의 눈치를 봤다.

그들의 인솔자로서 나선 서성찬 순경.

그 시선을 따라 서성찬을 본 종혁은 피식 웃었다.

'눈 돌아가는 거 봐라.'

딱 봐도 많아야 스물셋이다.

만두를 보는 눈을 보니 침을 안 흘린 게 다행이다.

하지만 근무 시간이라 한눈을 팔 수도 없고, 봉사를 하는 학생들 앞에서 모범도 보여야 한다는 초년 순경의 복잡한 마음이 여실히 드러난다.

"뭘 걱정해! 순찰 가는 건데. 저런 가게에 무슨 애환이 있는지도 순찰할 때 확인해야 하는 거야. 그렇죠?"

수호와 소영이 서성찬을 보았다.

"어? 이어! 그렇지! 종혁이 네가 잘 아는구나? 따라와!"

피식 웃는 종혁까지 쪼르르 줄을 섰다.

　　　　* 　* 　*

"어흐, 끅!"

"잘 먹었습니다!"

"호호, 또 와!"

손맛이 죽이는 아주머니의 배웅을 받으며 2평이나 겨우 될 법한 좁은 가게를 나선 종혁에게 낯빛이 어두운 서성찬이 다가왔다.

"내가 계산해도 됐는데······."

"괜찮아요. 아주머니가 기특하다고 만 원만 받았잖아요."

만두를 100개나 먹었지만, 학생이나 순경이 뭔 돈이 있냐, 봉사 활동을 하러 온 게 기특하다고 만 원만 받았다.

그 마음 씀씀이가 고맙고도 미안해 돈을 다 계산하려 했지만 끝끝내 거부했다.

1997년, 아직까진 이런 정이 남아 있는 시대였다.

"그래도······."

'이놈 호군가?'

만두 100개 중 60개를 종혁이 먹었다.

수호, 소영은 15개씩. 가장 적게 먹어 놓고 미안해하는 모습을 보니 절로 그런 생각이 들었다.

"음, 정 미안하시면 음료수나 사주세요. 겨우 하루 이틀 오고 말 저희를 위해서 귀한 월급 쓰지 마시고."

"고맙다. 파출소에서 가는 슈퍼 있어. 거기로 가자!"

'호구 맞네, 이 양반.'

"Положить(놔)."

'응? 러시아어?'

바쁘고 활기찬 사람들이 내는 소음을 뚫고 들려오는 소리에 옆 골목을 향해 고개를 돌린 종혁은 눈을 가늘게 떴다.

남자 네 명에게 둘러싸인 거구의 러시아인.

그들을 본 종혁은 재빨리 나섰다.

"어? 양아치다."

"응?"

종혁이 가리키는 방향을 향해 고개를 돌린 일행은 얼굴이 딱딱하게 굳었다.

"어떤 새끼가?!"

화를 내며 몸을 돌린 남자 네 놈도 종혁이 입은 경찰 조끼를 보곤 굳어 버렸다.

종혁은 그중 한 명이 슬그머니 내리는 상의…… 아니, 바지춤 속에 쑤셔진 무언가를 발견하곤 고개를 모로 기울였다.

'저 새끼 배때기에…… 비디오?'

경찰 조끼를 보고 저렇게 숨기려고 한다면 백이면 백 포르노 같은 불법 유통 비디오다.

'실적이다!'

순찰만 해도 서로 윈윈인데, 실적까지 안겨 준다?

기사가 한 줄이라도 더 예쁘게 써질 수 있다.

이왕이면 다홍치마.

종혁의 입에서 장군의 호령 같은 외침이 터져 나왔다.

"서 순경! 저 새끼들 잡아!"

"예, 옛!"

서성찬이 반사적으로 튀어 나갈 때, 종혁은 이미 먼저 출발해 달리고 있었다.

목표는 비디오 가진 놈.

"이런, 씨! 튀어!"

"어딜!"

종혁은 한 박자 늦게 몸을 돌리는 놈의 목에 있는 소매에 아슬아슬하게 손가락을 걸며 그대로 잡아당겼다.

푸드득!

단추가 뜯어지며 사람이 허공을 날아 추락했다.

쿠웅!

"켁?!"

'오, 이게 되네?'

손가락으로 사람을 제압했다.

원래도 말도 안 되는 피지컬이었지만 합숙 훈련 이후 그 피지컬이 더 괴물 같아졌다.

놈의 배에서 비디오를 꺼낸 종혁은 그 몸을 뒤집어 깔고 앉았다. 증거물은 소중하게 다뤄야 하는 법이다.

"악! 씨발! 나와!"

빠악!

솥뚜껑 같은 손바닥이 뒤통수를 때리고 다른 손으로 놈의 목을 짓눌렀다.

"어허이, 가만있어. 모가지 꺾어 버리기 전에."

덤덤한 말투지만 그 속에 숨어 있는 사나움은 분명 많이 느껴 보던 것이었다.

형사.

그는 반항을 포기했다.

"……씨발."

포기한 모습에 습관적으로 수갑을 찾던 종혁은 멈칫했다.

'아…… 아직 경찰 아니지.'

경찰이 아닌 이상 수갑이 있다고 한들 함부로 채울 수 없다.

결국 서성찬이 올 때까지 기다려야 할 듯싶었다.

이쪽을 멍하니 바라보다 다가오려는 소영과 수호에게 오지 말라고 손을 저은 종혁은 엉덩이를 뒤로 빼는 빅토르를 보았다.

"стоп(멈춰요)."

눈이 동그래진 빅토르가 종혁을 보았다.

"러시아어를 할 줄 압니까? 다행이군요. 난 저들과 일행이 아니라 피해자입니다."

다다다 쏟아 내는 말에 종혁은 진정하라고 손을 저었다.

"그렇다고 해도 피해자 진술을 해야 하기 때문에 남아 주세요."

"그런……."

"시간을 많이 빼앗진 않을 겁니다."

그 말에 안도가 되면서도 어쩌다 이렇게 됐나 짜증이 났던 빅토르는 신기하다는 듯 종혁을 보았다.

덩치는 크지만 앳돼 보이는, 외견상 나이가 많아 봐야 십대인데 러시아어를 마치 러시아 사람처럼 한다.

'그것도 한국인이.'

저벅저벅.

"미안, 종혁아. 놓쳤다."

"뭘요, 일단 한 놈 잡았으니까 됐죠. 이 자식 수갑이나 채우세요."

"어? 네가…… 아, 어. 그렇지. 내가 경찰이지."

얼굴이 달아오른 서성찬은 놈의 팔을 꺾으며 수갑을 채웠다.

종혁은 한숨을 쉬었다.

'진짜 초짜 순경인 거 티 내나.'

"미란다 원칙은 안 하세요? 일단 협박죄로 체포하면 될 겁니다."

"아, 미란다 원칙! 다, 당신을 협박 현행범으로 현장 체포합니다. 당신은 묵비권을 행사할 권리가……."

"뭐야, 너 짭새 아니야?"

종혁은 놈의 뒤통수를 강하게 후렸다.

빠아악!

"그래. 짭새 아니다, 새꺄."

'기사 한 줄 더 확보!'

절로 웃음이 나왔다.

* * *

박창도 소장은 헛웃음을 지었다.

봉사 활동으로 순찰을 보냈더니 범죄자를 잡아 왔다. 그것도 17살 학생이.

'이놈 뭐지?'

박창도뿐만 아니라 남대문 파출소의 경찰 모두 종혁을 보며 어이없어했다.

"불법 포르노 파는 놈들 같으니까 음란물 유통…… 아, 이게 지금 있는 법이던가? 아무튼 그쪽으로 처벌하면 될 겁니다. 그리고 저쪽은 러시아분이신데, 저놈들한테 강매를 당한……."

'어? 잠깐?'

종혁은 앞에 놓인 증거물, 제목 없는 비디오를 보곤 고개를 모로 기울였다.

'이거 혹시?'

이 당시, 전국을 뒤집은 엄청난 사건이 있었다.

너무 유명해서 모르는 사람이 없고, 경찰이라면 무조건 공부하는 사건.

종혁의 눈이 사납게 떠졌다.

"소장님! 이거 확인해 보는 게 어떨까요? 포르노가 아니라면 저 새끼…… 저 범죄자 풀어 줘야 하니까요!"

"……그냥 네가 경찰 해라."

'뭔지 몰라도 범상치는 않은 놈이네.'

고작 17살이 경찰 매뉴얼을 잘 알고 있다.

'김종두 그놈이 가르쳤나.'

어쩐지 잘해 달라고 하더라니. 이 똘똘한 놈을 경찰로 만들려는 것 같다.

박창도는 종혁의 뜨거운 눈빛에 헛웃음을 터트렸다.

"왜, 확인하고 싶냐?"

"그렇게 해 주신다면 정말 감사하겠습니다!"

"짜식, 꼬추에 털도 안 났을 놈이 꼴에 남자라고…… 따라와."

17살이면 알 거 다 아는 나이다.

파출소 한구석 TV 앞에 데려간 박창도는 비디오 플레이어에 비디오를 집어넣었다.

일명 빨간 비디오.

박창도는 피어오르는 흥미를 감추며 TV를 봤고, 침을 꼴깍 삼키며 슬그머니 접근하는 수호와 소영에게 손을 저은 종혁은 곧 재생되는 영상을 보곤 얼굴을 와락 구겼다.

"개씨부랄! 맞잖아!"

'파란 양말!'

모두가 화들짝 놀라 종혁을 봤지만, 그는 핸드폰을 들고 있었다.

"예, 반장님. 저 종혁인데요. 이쪽으로 좀 오실 수 있으세요? 아무래도 대형 사건 하나 터진 것 같습니다. 미성년자 포르노인 것 같아요."

―뭣?!

"뭐?!"

박창도도 벌떡 일어났다.

전국을 뒤집은 파란 양말 사건.

이건 종혁이 어찌할 수 있는 사건이 아니다.

공권력이 해결해야 하는 일.

그래서 김종두 반장을 불렀다.

"이 자식은 기껏 봉사 활동 보냈더니 사건을 물어 오고 있네?"

"하하."

"그래서 뭔데? 미성년자 포르노는 또 무슨 말이야?"

지금까지 종혁이 개입한 사건들 중 무엇 하나 작다고 말할 수 있는 이들이 없지만, 미성년자 포르노는 그것들과는 궤를 달리하는 사회적 이슈를 일으킬 수 있는 대형 사건이다.

"일단 보시면 알 겁니다."

딱딱한 종혁의 얼굴에 덩달아 신중해진 김종두는 박창도 소장과 그 옆에 사복 차림으로 선 사십대 후반 중년인을 향해 손을 내밀었다.

"오랜만이야, 박 소장. 철호도 오랜만이고. 남대문서에 있었어?"

"오랜만입니나, 형님."

"그동안 쌓인 이야기는 일단 증거부터 보고 이야기하

자고. 심각하면 밥그릇 좀 나눠 주고."

남대문 시장에서 범인과 증거를 확보했으니 남대문서의 사건이다.

남대문 파출소의 박창도 소장은 남대문서에 연락할 수밖에 없었다. 그렇게 만난 셋이 소장실로 들어가자 종혁은 소영과 수호에게 다가갔다.

"어떻게 된 일이야? 미성년자 포르노라니?"

금방이라도 토악질을 할 듯 하얗게 질린 얼굴의 소영.

종혁은 수호를 보았다.

"파란 양말 알지?"

"……그, 그게 이렇게 큰일이었어?!"

"야, 밤톨! 너 저거 알아?!"

"으응. 요새 떠도는 건데 남자들 중에 안 본 애는 거의 없으니까…… 무, 물론 난 못 봤지! 껴 주지 않으니까!"

'안 봤다고 해야지, 인마.'

"……더러워. 불결해."

"못 봤다고! 진짜야!"

소영의 일그러진 눈이 종혁에게로 향했다.

"봤으면 벌써 신고했겠지."

"……응, 종혁이는 성실하니까 믿어. 절대 저런 거 보지 마."

그러며 종혁의 새끼손가락을 잡는 소영의 손이 떨리고 있다.

'많이 놀랐나 보네.'

그럴 만했다. 눈앞에서 범죄자를 잡았고, 이런 일로 번졌다.

그 긴박하고 살벌한 상황은 보기만 해도 사람을 움츠리게 만든다. 아마 큰 충격이었을 것이다.

"걱정 마. 그런 일은 절대 없을 테니까."

"응, 믿을게."

소영의 머리를 토닥인 종혁은 의자에 앉아 얼굴을 구기고 있는 빅토르에게 다가갔다.

"아, 최!"

"미안합니다. 아무래도 좀 더 계셔야 할 것 같습니다."

"난 바쁜……."

"아동 포르노입니다."

빅토르의 얼굴이 구겨졌다.

"이런 개 같은! 이 나라에도 그런 개 같은 게 있다는 겁니까!"

아동 포르노를 찍는 놈들은 거시기를 잘라 곰 먹이로 줘야 한다는 게 빅토르의 생각이다.

러시아의 온갖 욕을 토해 내던 빅토르는 자리에 앉았다.

소영과 수호가 서로 붙어 구석에 숨으며 빅토르의 눈치를 살폈다. 다른 경찰들도 슬그머니 몸을 뒤로 뺐다.

"쯧, 알겠습니다. 그런 일이라면 억울해도 참아 보겠습니다."

"이해해 줘서 고맙습니다. 그런데 한국엔 어떤 일로 오신 겁니까?"

종혁은 그를 달래기 위해 화제를 돌렸다.

빅토르는 잠시 고민하다 입을 열었다.

'한국 사람이면 한국에 대해 잘 알겠지.'

"다쉬락 같은 좋은 상품을 찾으러 왔습니다."

"다쉬락? 상품?"

빅토르는 사정을 간략하게 설명했다.

"아, 팔도 도시락?"

"바로 그겁니다!"

'워, 그게 벌써 러시아에 풀렸던가?'

한류가 별거일까.

언젠가 한국에서는 사라져서 단종 된 건가 아쉬워했던 도시락 라면이 러시아에선 선풍적인 인기를 끌고 있다는 소식을 들었었다.

그 소식에 신기해하면서도 같은 한국인으로서 자부심을 느낀 적 있던 종혁.

"커피는요?"

"커피 말입니까?"

"네, 렛츠비 커피도 러시아에서……."

'아, 이건 아직 진출 안 했나?'

도시락과 함께 시장을 점유했다는 캔 커피.

이 외에도 미래엔 꽤 많은 한국 제품이 러시아의 일상을 파고든 것으로 안다.

한 번 찍으면 끝장을 보는 성격 때문에 조사해 봐서 알고 있다.

'요거 잘하면?'

왠지 땅 짚고 헤엄칠 것 같다는 촉이 선다.

촉이 섰으면 바로 움직여야 했다.

종혁은 파출소 안쪽 탕비실 냉장고에서 캔 커피를 꺼내와 내밀었다.

"아마 이게 입맛에 맞을 겁니다."

파란색 캔 커피에 의아해하던 그는 이내 입에 가져갔다. 그리고 눈을 부릅떴다.

"헉! 이건 뭔가요?!"

입안에 풍부하게 퍼지는 진한 단맛. 홍차 따윈 비교도 안 되는 천상의 맛이다.

"이게 진짜 커피인 겁니까?! 어느 회사에서 파는 겁니까!"

이건 통한다. 무조건 통한다.

"아마 롯······."

"종혁아!"

벌컥 소장실의 문을 열고 나오는 셋의 얼굴이 딱딱하게 굳어 있다. 종혁은 그들에게 다가갔다.

김종두가 이를 갈았다.

"저거 뭐냐. 저거 뭐냐고!"

딸 뻘인 소녀가 파란 양말만 신은 채······.

"십대의 탈을 쓴 그 범죄자 새끼들이 외국 포르노를 따라 한 성 착취 영상입니다."

잠시 파출소 안의 시간이 멈췄다.

"……십대가 십대를? 단체로?"

그걸 비디오로 만들었다.

온갖 범죄를 접하는 형사인 그들로서도 접해 본 적 없는 이야기.

아니, 일어나서는 안 되는 이야기.

김종두와 다른 두 경찰의 눈이 가늘게 떠졌다.

"너 설마 저 새끼들 누군지 아는 거냐?"

안다. 배웠는데 왜 모를까.

"송파공고 일진 새끼들입니다. 아마 학교를 관뒀을지도 모르죠. 그리고 피해 여학생은 15살일 겁니다. 그쪽 가출 패거리에 중학생이 꼈다는 소릴 들은 적 있습니다."

쿵!

"……뭐?"

고등학생도 아닌 중학생.

"끅!"

세 고위 경찰은 치솟는 혈압에 뒷목을 주물렀다.

"……이런 개좆같은!"

"씨발-!"

보는 눈이 많기에 체면을 지키려 했지만 실패다.

콰앙! 우당탕!

소파나 쓰레기통이 그들의 발길질에 박살났다.

"종혁아! 인간이 인간에게 이러면 안 되는 거 아니냐?! 이러면 안 되는 거잖아, 씨발!"

고등학생이 중학생을 단체로.

학생이 아니라 사람이 해선 안 될 짓을 즐기며 했다.

울 듯한 김종두를 보며 종혁 또한 이를 악물었다.

배울 때도 혈압이 올랐는데, 직접 영상을 보고 나자 돌아 버릴 것 같다. 범인들이 눈앞에 있으면 맨손으로 찢어 버릴지도 몰랐다.

종혁은 김종두의 손을 꽉 잡았다.

"그러니 이 개새끼들 꼭 잡아 주세요. 음란물 제작 유포 따위가 아니라 집단 성폭행, 강간! 이런 죄로 콩밥 먹여 주세요! 부탁드립니다, 반장님!"

종혁은 허리를 깊이 숙였다.

아직 경찰이 아니라서, 검사가 아니라서 이 새끼들을 손수 처단할 수가 없다.

그게 너무 화나고 치가 떨렸다.

그렇기에 믿을 만한 사람에게 부탁할 수밖에 없다.

그 절절한 마음은 김종두를 비롯한 파출소 안 모든 경찰에게 전해졌다.

'허, 이 녀석.'

"……그래, 꼭 잡아서 콩밥 먹이마. 이 반장 삼촌 해낼 테니까 믿어 봐. 철호야, 애들 불러라. 출발하자."

"형님은 빠지십시오. 이 새끼들은 내가 찢어 버릴……."

"그리고!"

셋은 종혁을 보았다.

종혁의 얼굴은 방금 전보다 더 굳어 있었다.

파란 양말 사건 이후의 이야기가 종혁의 머릿속에 떠올랐다.

"피해자 신변 보호를 부탁드리겠습니다. 이제 겨우 15살 여자아이입니다. 세상 물정도 모를 그 아이가 자신에게 무슨 일이 일어났는지나 제대로 알겠습니까."

범인 검거 이후 세상은, 이 나라 언론은 그 사건을 지속적으로 언급하며 피해자를 두 번 죽였다.

안타까운 길을 걸은 피해자를 떠올린 종혁은 다시 한번 허리를 숙였다.

"반장님, 그리고 여기 계신 경찰 여러분. 부디 피해자는 세상 그 누구도 알 수 없게, 혹여 기자들이 알아도 물어뜯지 못하게 부탁드리겠습니다. 정말 부탁드리겠습니다."

"……."

경찰이라면 당연히 생각해야 할 일.

그런데 그걸 17살 꼬마가 저렇게 강조하고 있다.

경찰에 대한 신뢰가 이렇게 떨어진 건가.

아니면 유난을 떠는 건가.

하지만 종혁의 진심만은 그들의 가슴에 화인처럼 새겨졌다.

그들은 흔들리는 눈으로 종혁의 넓은 등을 바라보았다.

* * *

두 개 경찰서의 강력반 형사들이 작정하고 움직였다.

파란 양말 범인들은 단 하루 만에 검거됐고, 청계천과 남대문 일대에서 암약하던 비디오 판매책들이 일망타진 됐다.

이들을 검거하기 위해 골목 깊숙한 곳까지 쳐들어가다 보니 부수적으로 마약 판매책들까지 검거되는 웃지 못 할 상황이 벌어졌다.

박창도 소장은 남대문 시장 내에서 불법적인 물건을 유통하는 이들을 대대적으로 단속했다.

두 개의 경찰서와 한 개의 파출소가 범죄자들로 우글거렸다.

'나무는 숲에 숨겨라.'

"머리 좀 쓰셨네."

"아, 먹고살자고 비디오 좀 판 거 가지고 너무하네!"

"아가리 싸물어! 어디 범죄자 새끼가!"

몇 개의 팀으로 나뉜 강력반 형사들 전체가 매달리고 있다.

"어, 왔냐?"

김종두 반장이 손을 흔든다.

"그놈들은요?"

우연히 마약 조직을 검거하게 되자, 남대문 경찰서의 이철호 반장은 이놈들을 김종두에게 토스했다.

마약 조직뿐만 아니라 여타 판매책들도 모조리 검거해서 유치장마저 부족한 상황. 먹다 배 터지기 싫다며 양보했다.

때문에 남대문 경찰서는 주객이 전도된 상황이 벌어지고 있었다. 이쪽도 강력 1반, 2반은 마약 조직을 상대하고 있었다.

"검찰에 넘겼지."

"벌써요?"

"증거나 증인이 확실한 상황이잖냐. 재대로 엮어서 넣었으니까 걱정 마라."

아쉬웠다.

'있으면 뒤통수를 후려 버리기 위해 왔는데.'

"그런데 그때 그 코쟁이, 아니 소련 사람은 잘 데려다 줬어?"

'허. 언제 적 소련이야.'

"그렇지 않아도 고맙다고 오늘 서울 안내 부탁하더라고요. 돈 준다고."

그렇지 않아도 할 이야기가 있던 종혁은 흔쾌히 허락했고, 그를 만나기 전 상황이 어떻게 됐나 직접 확인하기 위해 이곳을 찾았다.

"그런데 그 아이는요? 집엔 잘 돌아갔어요?"

탁! 치익!

종혁은 대답 대신 담배를 무는 김종두의 모습에 이마를 잡았다.

"혹시 언론에 샜어요?"

"아니, 그건 아냐. 내일부터 헤드라인은 청계천 남대문 일대 마약 조직에 관한 내용이니까."

'다행이다!'

김종두 반장이 철저하게 보안을 지킨 것 같다.

강력 1반과 2반에 마약 조직을 넘긴 그. 엄청난 실적을 버려 가며 지킨 보안이었다.

'정말 걱정했는데.'

소녀가 망가진 이유가 뭐였던가.

미성년자인 피해자를 배려하지 않고 물어뜯은 일부 기레기들 때문이다. 신념도 없고, 팩트도 없이 오로지 자극만 추구하는 쓰레기들로 인해 한국이 뒤집혔다.

그걸 막은 거다.

무척이나 감사했다.

하지만 그의 말은 아직 끝나지 않았다.

"그런데……."

종혁은 김종두가 가리킨 곳, 강력반 한쪽 유치장에 있는 소녀를 발견하곤 굳어 버렸다.

"뭐야, 쟤가 왜 아직도 여기 있어?"

이미 부모에게 인계되었어야 할 소녀.

김종두의 입에서 답답한 가슴처럼 뿌연 담배 연기가 흩어졌다.

"나갔다가 다시 들어왔어. 슈퍼 유리창 깨고."

"예?"

"자기도 소년원 보내 달란다."

"아니, 왜? ……쟤 설마 그 새끼를 아직노 좋아힙니까? 그래서 같이 소년원 들어가려고?"

"뭔 필름도 안 돌릴 영화 시나리오냐고 묻고 싶지만."

의외로 범죄자를 두둔하는 피해자가 많다.

종혁은 씁쓸히 웃었다.

'스톡홀름 증후군.'

하지만 반장의 얼굴을 보니 그건 아닌 것 같았다.

"알아보니까 어디로 이사 갈 돈도 없는 집안이더라."

그 말에 종혁은 모든 걸 파악할 수 있었다.

"학교에 못 가는구나."

자신을 알아보고 매도할 학교에 갈 수 없는 거다. 다른 학교도. 비디오가 어디까지 퍼졌을지 모르니까.

그보다 처참한 건 부모를 믿지 못하는 거다.

부모가 싫어서, 집이 싫어서 가출했으니까.

친구도, 일가친척도, 이웃사촌도, 아무도 믿을 수 없는 거다.

어디 먼 곳으로 떠나면 좋으련만 그럴 수도 없다.

지긋지긋한 돈.

그래서 세상에서 도망치려는 거다.

고작 15살짜리가, 피해자인데도 세상과 단절된 곳으로.

다녀오면 혹여 잊혀질까 범죄자들 사이에서 살려는 거다.

범죄자보다 세상의 손가락질이 더 무서우니까.

이런 선택만이 소녀가 바라보는, 알고 있는 세상에서 내릴 수 있는 유일한 결론이었다.

"에이, 니미럴 좆같은 세상. 에이, 씨부럴."

쾅!

김종두는 책상을 걷어찼고, 종혁은 입맛이 썼다.

피해자임에도 죄인이 되어야 하는 세상.

피해자가 더 세상에서 멀어져야 하는 세상.

종혁은 이럴 때마다 안타까워 미칠 것 같다.

'개씨부럴! 세상 진짜 왜 이러냐!'

"차라리 돈이라도 있으면 성형하고, 해외에 나가 살……."

종혁은 소녀를 봤다.

'해외. 빅토르. 십대 소녀.'

머리에 선. 촉이 여러 단서들을 조합한다.

'……!'

"쟤 부모는요?"

"뭐 가자, 안 간다 대판 싸우다가……."

더 이상 말 안 해도 종혁은 알아들었다.

숨 막히는 집, 숨 막히게 한 부모를 믿지 못해 슈퍼 유리창을 깬 소녀다. 아마 부모는 생각할 시간을 가지도록 잠시 물러선 것일 터다.

"그럼 제가 오늘 하루 데려가도 돼요?"

"뭐, 인마?"

"아시잖아요. 쟤 저렇게 두면……."

김종두는 눈을 질끈 감았다.

말을 더 듣지 않아도 안다.

소년원이나 교도소가서 사람이 바뀌는 건 극히 드물

다. 도리어 그들에게 물들어 버리고 만다.

태어나길 범죄자로 태어난 소수의 악질들에게.

"뭘 어쩌려고?"

"자신이 바라보는 세상만이 전부가 아니란 걸 알려 주려고요."

지금의 선택이 소녀가 바라보고 알고 있는 세상에서 내릴 수 있는 유일한 결론이라면, 그 세상을 넓혀 주면 된다.

이후의 일이 뻔히 보이는데, 언론을 막아 줬으니 할 일은 다 했다며 외면할 수는 없었다.

'씨발. 내가 능력이 없는 것도 아니고!'

오직 실적만 바라며, 높은 곳만 보며 살아왔던 회귀 전의 삶.

이렇게 돌아와 얼마나 후회했던가.

종혁은 이제 발 뻗고 자고 싶었다.

"설마 그 소련 남자?"

"한국 제품을 사러 온 바이오예요. 이름은 빅토르 로마노프."

"성은 쥐이네. 로마노프 왕가야?"

"그런 것도 아세요?"

"쓰브럴. 몇 년 전까지 소련이었다, 이놈아. 소련 빨갱이를 모르는…… 철상아!"

"예, 반장님!"

'감사합니다, 반장님.'

종혁은 대충 이럴 거라 생각했다.

김종두 반장은 저 나이 또래의 딸이 있는 형사다.

반장이 되기까지 참 안타까운 사건들을 많이 봐 왔을 그에게 이런 권유를 쳐 낼 수 있는 성질의 것이 아니었다.

사정만 된다면 도와줄 텐데, 박봉의 형사들이 모두 가슴에 품는 측은지심이다.

종혁은 그들을 뒤로하며 유치장 철창 앞에 섰다.

끌어안은 무릎에 이마를 묻은 소녀.

"미진이지?"

많은 것을 내려놓은 탁한 눈동자가 바라본다.

과거엔 밝게 빛났을 눈을 생각하니 뜨거운 게 울컥 솟는다.

종혁은 전혀 내색하지 않은 채 태연한 모습으로 입을 열었다.

"반갑다. 나 최종혁이다. 그 새끼들 신고한 사람이지."

"……!"

* * *

"오, 최!"

"빅토르!"

둘은 뜨거운 악수를 했다.

"일은 잘 보고 왔습니까?"

일이 있다고 점심으로 약속을 잡은 종혁.

그놈들을 잡았다는 말에 빅토르는 흔쾌히 이해했다.

"그놈들은 아주 큰 죄목으로 처벌받을 겁니다."

"잘됐군요! 정말 잘됐습니다! 한국도 정의가 살아 있는 나라군요! 음, 그런데 뒤에 둘은?"

미진과 이철상 경위.

미진의 두 눈은 여전히 탁하다.

"여성 쪽 상품을, 십대를 공략할 상품을 조언해 줄 사람입니다."

"예? 음……."

종혁은 미심쩍어하는 그를 보며 활짝 웃었다.

"요 며칠 돌아다니셔서 알 테지만, 한국 십대, 이십대의 패션이 참 유니크하죠?"

이 시기엔 그랬다.

비슷한 디자인의 옷을 입고 다니면 쪽팔렸던 시기. 옷과 헤어스타일은 자신의 색깔을 나타내는 아이덴티티였다.

"거슬리는 일은 없을 겁니다."

"음. 좋습니다. 최의 말이니 믿어 보도록 하겠습니다."

그렇지 않아도 상품의 종류에 제한을 두지 않으려던 그다.

십대 일반인 소녀. 나쁘지 않았다.

"그럼 갈까요? 최가 날 어디로 데려갈지 무척이나 기대됩니다!"

정의로우면서 책임감 있던 종혁이다.

그날 상황이 어렵게 변하자 세심하게 설명해 줬던 그 자상함과 세심함.

그는 이런 종혁이 보여 줄 한국의 상품들이 궁금했다.

하지만 종혁은 그런 그를 잡아 세웠다.

"로마노프, 한 가지 묻고 싶습니다."

"예, 뭐죠?"

"당신은 컨설턴트를 원하는 겁니까, 가이드를 원하는 겁니까?"

빅토르의 표정이 딱딱하게 굳고, 종혁의 눈이 빛났다.

'이런.'

한 대 맞았다.

'똑똑하다 싶더니만 컨설팅의 개념도 알 줄이야!'

실책이었다.

빅토르는 진지해졌다.

"컨설팅을 원한다면요?"

"일단 렛츠비에 대한 해결책을 제시할 겁니다."

움찔!

"렛츠비요? 그건 이미……."

"그걸 과연 러시아 사람들이 먹을까요? 차가운 음료는 넘치도록 많은데? 그리고 겨울이 되면 몇 분 만에 얼어 버리겠죠."

"……빌어먹을. 최, 당신은 정말 똑똑하군요!"

"과찬입니다. 5퍼센트 어떻습니까?"

"그건 너무 많습니다! 내 예산이 얼만지 압니까? 천만 달러입니다! 0.1퍼센트!"

'루블이 아니라 달러라고?'

이때는 소련 해체에서 이어진 인플레이션으로 인해 루블의 값어치가 굉장히 하락할 때다.

'이 양반 이 정도로 부자였어?'

그냥 부자가 아니다. 그 러시아에서 달러를 확보한 부자다.

'진짜 그 사라진 로마노프 왕가의 자손인가? 에이, 아니겠지. 그래도…….'

달러를 확보할 수 있는 부자인 건 확실하다.

종혁의 눈이 빛났다.

"3퍼센트로 하죠. 순이익의."

빅토르의 머릿속이 맹렬하게 움직였다.

'이런 사람을 또 구할 수 있을까?'

이렇게 눈치 좋고 똑똑하며 러시아어를 할 줄 아는 사람.

더욱이 홀딱 반한 상품 렛츠비에 대한 해결책도 있는 것 같지 않은가.

'어쩔 수 없나.'

"좋습니다. 하지만 확실한 해결책을 제시해야 될 겁니다."

"사인하시죠."

종혁은 가져온 가방에서 서류철을 꺼내어 컨설팅 계약

서를 꺼냈다. 그 양식은 미래 사기꾼들이 하는 짓을 보고 배운 거였다.

물론 사기꾼들의 사기가 아니라 당시 업계 표준 계약서고, 러시아어로 되어 있다.

"허, 철저하군요."

"돈이 얽혀 있다면 이보다 더한 것이라도 해야죠."

"더 믿음이 가는군요."

꺼낸 만년필로 사인을 한 빅토르는 이제 해결책을 내놓으라며 종혁을 봤다.

"그 서류 맨 뒷장을 보세요."

사락!

"음?"

"온장고. 음료나 음식을 따뜻하게 보관하는 기계를 만드는 회사입니다. 곧 렛츠비를 만드는 기업에 합병될 회사죠."

박태규와 권아영을 통해 겨우 찾은 회사다.

"헉!"

"계약도 도와 드리죠."

"……으하핫!"

그랬다. 차가워서 경쟁력이 적어진다면 따뜻하게 팔면 그만이다.

한겨울, 딱딱하게 얼어붙을 손끝을 녹일 달콤하고 진한 따뜻한 커피.

실제 렛츠비를 만든 회사도 그런 식으로 마케팅을 하여

러시아 캔 커피 시장을 휘어잡았다.

"벌써부터 컨설팅 비용이 아깝지 않군요! 다음은 뭡니까?"

"옷이죠."

회귀 전 종혁이 조사한 바에 따르면 러시아에서 한국 의류도 선풍적인 인기를 끌었다고 했다.

종혁은 미진을 가리켰다.

"대한민국 길거리 패션 1번지로 데려가 드리겠습니다."

"……?"

* * *

"어서 와요! 좋은 옷 있어요!"

"쌉니다! 싸!"

거미줄처럼 복잡한 곳, 수많은 옷 상인들이 손을 흔들며 호객 행위를 하고 있다.

'난 여기 왜 있는 걸까.'

소녀 미진은 덩치가 엄청 큰 서양 아저씨와 함께 걷는 종혁을 보았다.

'최종혁 오빠.'

불량한 애들치고 모르는 사람이 없는 이름이다.

경찰을 끌어들여 동일고 일진을 해체시킨 또라이.

조폭 7명을 때려눕힌 최강주먹.

그리고…… 그 지옥에서 꺼내 준 은인.

그리고 그 눈빛.

종혁이 자신을 바라보는 눈빛에는 연민도, 혐오도 존재하지 않았다.

그래서 따라나섰다.

다른 사람과 다른 것 같아서.

이 사람만큼은 아무것도 상관없이 김미진이라는 한 사람을 바라봐 주는 것 같아서.

'그런데 내가 뭘 도와줄 수 있다는 거지?'

종혁이 도움을 요구해서 따라나서긴 했으나, 도대체 자신이 뭘 도와줄 수 있을지 알 수 없었다.

지금까지 서양 남자와 쌀라쌀라 떠들 뿐, 자신에겐 아직 아무런 이야기도 해 주지 않았다.

"미진아."

움찔!

"……네."

"넌 여기서 어떤 옷을 사고 싶어?"

"네?"

종혁은 당황하는 그녀를 보며 웃었다.

"네가 저 사람을 위해…… 아니지, 러시아 십대 소녀들을 위해 옷을 고르는 거야."

"러, 러시아요?"

"아, 내가 제대로 설명 안 했구나."

아니다. 지금까지 일부러 안 한 거다.

괜히 미리 설명해 봤자 생각만 많아지고, 생각이 많아지면 구멍을 파는 법이다. 특히 미진처럼 암울한 상황이면 백 퍼센트다.

　종혁은 상황에 대해 설명했다.

　"그, 그러니까 저 서양 아저씨가 자기 나라에서 팔 옷을 제가 고르는 거라고요? 제가요?"

　"난 여자 옷을 볼 줄 모르거든."

　미진뿐만 아니라 보호자로 따라나선 형사도 어이없어했다.

　'미친 오빠였어?'

　"너만 믿으니까 부담 팍팍 가지고 골라 봐. 네가 돈을 신경 쓰지 않을 때 뭘 입을지. 다른 애들은 뭘 입는지."

　"종혁아, 이럴 땐 부담 가지지 말라고 해야 하는 거 아니냐?"

　"농담이에요, 형사님. 조크."

　'안 통한 것 같지만.'

　미진의 얼굴이 딱딱하게 굳었다.

　하얗게 질려 혼란스러워하는 그녀는 종혁의 믿음 가득한 눈을 보다 입술을 깨물며 나섰다.

　"저 옷, 저 옷, 저 옷이요. 이거 사이즈 얼마나 있어요?"

　"어머. 학생이 예쁜 옷 잘 보네. 다 이번에 나온 신상인데!"

　종혁은 쌀라쌀라 떠드는 상인의 말을 걸러서 통역했다.

　빅토르는 옷에 대해 잘 모르는지라 좀 미심쩍어했다.

그에 종혁이 상인에게 물었다.

"일본, 중국 보따리들은 얼마나 떼어 갔습니까?"

신나게 떠들던 상인의 입이 다물어졌다.

"⋯⋯그쪽이었어?"

"이쪽에서도 떼어 보려고요."

"설마 남대문 쪽?"

종혁은 웃는 걸로 대답을 대신했고, 남겨 먹을 생각에 좋아했던 상인은 혀를 찼다. 어려 보였는데 빠끔이었다.

하지만 이내 곧 음흉하게 웃으며 종혁에게 다가섰다.

"정 어쩌고 할 거면 딴 집 갑니다."

"⋯⋯에이. 어린 사장님, 한국 사람끼리 이러기야?"

"이거 천만 불짜리 판이에요. 1차로."

눈앞의 상인뿐만 아니라, 일부러 목소리를 키웠기에 빅토르 때문에 주목하던 주위 상인들의 입도 다물어졌다.

"1차로?"

"1차로. 저 사람 러시아 부잔데, 이쪽 일을 해 보겠다네?"

상인의 눈빛이 돌변했다. 다른 상인도 마찬가지였다.

그녀는 재빨리 잘 팔리는 물건들을 골라서 미진이 고른 옷들 옆에 쫙 펼쳤다.

"우리 가게에서 제일 잘 팔리는 것들! 이것들은 작년!"

쫙, 쫙! 찰칵!

종혁은 일회용 카메라로 그길 찍었다.

"미진아."

"······네, 네!"

"골라 봐."

* * *

언제나 백 원이라도 더 깎기 위해 노력했던 동대문.

그런데.

"어린 사장님! 이것 좀 먹고 잘 봐줘! 요새 힘들어!"

음료수까지 쥐여 주며 부탁을 한다.

종혁은 넋을 놓은 미진에게 봉투를 내밀었다.

"자, 이건 오늘 도와준 비용."

미진은 손에 쥐어지는 두꺼운 봉투 속 만 원짜리들을
보곤 기겁했다.

띠가 둘러진 뭉칫돈이 두 개. 2백만 원이다.

"어, 엄마! 너무 많아요!"

"별로 안 많은데?"

"네?"

"네가 몰라서 그렇지, 원래 이렇게 컨택하는 사람들은
돈 많이 벌어. 왜? 내가 모르는 걸 너를 통해 알게 되고,
돈을 버니까."

"전 겨우 옷만 골랐을 뿐인데요! 저 어린데요!"

어리면 돈 못 번다. 써 주는 곳도 없다.

그나마 써 주는 신문 배달, 우유 배달, 주유소는 남자
몫.

여자는 인형 눈알 붙이거나 종이봉투 접어야 한다.

"야, 그렇게 따지면 난 겨우 17살이야. 아까 못 들었어? 이거 천만 불, 쉽게 말해서 백억짜리야. 판이 크면 부스러기도 큰 법이야. 난 3퍼센트, 3억을 가져가고."

다 거짓말이지만 미진은 입을 떡 벌렸다.

"겨우 몇 시간 도왔을 뿐인데요?"

"이 사람에겐 오늘 몇 시간은 몇 년과 같은 가치가 있는 거야. 너와 내가 이 사람이 몇 년 동안 겪었을 시행착오를 없애 준 거니까. 즉, 돈으로 시간을 산 거지. 세상 참 희한하지?"

끄덕.

"그래서 좀 아쉽네. 계속 같이 다녔으면 좋았을 텐데."

"왜, 왜요?"

"너 감각 있거든."

"⋯⋯?!"

종혁은 빅토르를 바라봤고, 빅토르는 엄지를 치켜들었다.

솔직히 종혁과 빅토르 둘 모두 놀랐다. 미진이 고른 옷들 모두 잘 팔리는 라인이었기 때문이다.

'이런 재능이 있었다니.'

종혁 본인이 옷을 볼 줄 모른다지만, 재능을 알아보는 눈이 없는 건 아니다. 그래서 더 안타까웠다.

'후우. 진짜 이런 일만 인 겪었어도.'

"오늘 수고했고, 유치장 나오면 연락해. 밥 살게."

안타깝지만 여기까지다.

결정은 미진의 몫. 억지로 시켜 봤자 결국 파탄만 날 뿐이다.

꾸벅.

미진은 허리를 숙였다.

뭐라 말해야 할지 모르는 미진은 형사와 돌아섰다.

종혁은 그 등에 대고 외쳤다.

"미진아! 이렇게 놀고 싶으면 외국어를 공부해 봐!"

몸을 돌린 미진은 눈을 껌뻑였다.

"……논다고요?"

"그럼 노는 거지. 재밌지 않아?"

종혁은 양팔을 벌리며 해맑게 웃었다.

그 품에 동대문이 모두 안기는 것 같았다.

"……."

"영어는 곧 기본이 될 테니까, 영어 외에도 하나 더 배우는 게 좋을 거야. 이런 재밌는 세상도 경쟁은 기본이니까."

멍하니 종혁을 보던 그녀는 몸을 돌렸다.

부우웅.

곧 잡아 탄 택시 안.

미진은 난생처음 노력해서 벌어 본 흰 봉투를 매만졌다.

'감각 있대. 내게도 재능이 있대.'

부모에게 듣지 못한 말, 칭찬.

그 진심 가득한 눈을 떠올리자 가슴이 울렁거리고 눈이 뜨거워졌다.

그리고.

'너무 즐거워 보였어.'

발이 부르트도록 다녀야 겨우 옷 한 개 사는 동대문.

그런 큰 동대문을 좁다는 듯 양팔에 끌어안았다.

너무 빛나 보였다.

뚝! 뚝!

미진의 눈에서 눈물이 흘렀다.

"미, 미진아?"

"경찰 아저씨, 저 소년원 가기 싫어요. 안 갈래요!"

그 무서운 곳에 가기 싫다.

오늘 종혁처럼 멋지게 살아 보고 싶다.

러시아 사람과 러시아어로 말해보고, 상인들도 휘둘러 보고 싶다.

미진은 생애 처음으로 살고 싶다 외쳤다.

잠시 후, 김종두 반장에게 전화를 받은 종혁은 씩 웃었다.

"그래. 네가 아는 세상만이 전부가 아니야, 미진아."

종혁은 빅토르를 보았다.

"아쉽지만 제 어린 동료와는 더 함께할 수 없을 듯합니다."

"저런. 어쩌다가."

빅토르는 진심으로 아쉬워했다.

어린 나이지만 훌륭한 눈을 가진 소녀.

눈치를 보니 종혁과 그리 깊은 관계가 아닌 것 같았기에 이번에 사 갈 옷들이 러시아에서 통하면 따로 연락을 하려고 했다.

어차피 냉정한 비즈니스의 세계. 헤드 헌팅은 당연한 일이다.

"공부를 하고 싶다는군요."

"아······."

검정고시를 보고, 외국 대학에 가고 싶다고 한다.

본인의 힘으로.

부끄러웠는지 김종두의 입을 빌려 말했지만, 얼마나 뿌듯한지 몰랐다.

'학비 비쌀 텐데······. 흠, 키다리 아저씨가 되어 줄까?'

종혁은 한국의 대표 음식 불고기를 씹으며 고민했다.

잘하는 아이에게 뭐라도 하나 더 해 주고 싶은 건 당연한 마음이었다.

* * *

그날부터 종혁은 온장고를 파는 회사에 가서 통역을 해 주며 견적을 뽑고, 한국 화장품에 대해서도 조사를 했다.

한국 의류가 인기가 있었던 것만큼 한국 화장품도 꽤 인기를 끌었던 러시아.

그렇게 기억나는 모든 아이템을 그에게 넘겨주었다.

사진과 온갖 서류가 가득 든 서류 가방을 보물처럼 끌어안은 빅토르가 김포공항 입구에 서서 아쉬워했다.

두 달을 잡은 스케줄이었건만 겨우 한 달 만에 끝나 버렸다.

"아쉽군요."

"하지만 현재의 한국에서 건질 수 있는 건 다 건졌을 겁니다."

가장 가시적인 성과는 팔도 도시락과 렛츠비 계약일 것이다.

그렇지 않아도 그룹에 자금이 말라붙은 시기.

빅토르의 천만 달러는 감로수와 다름없었다.

각기 350만 달러. 빅토르가 이미 러시아에 세운 회사에 납품하기로 했다.

통역으로 새파랗게 어린놈이 나서자 얕잡아 보는 해프닝이 있었지만, 종혁은 기분 나빠 하지 않았다.

'그러다 러시아 시장 뺏겨 봐야 아, 내가 멍청했구나 피눈물 흘리지.'

그저 멍청하다 느낄 뿐이다. 그래서 단가도 빅토르가 조사한 것처럼 꾸며서 후려쳤다.

지능범죄수사대 팀장이었던 종혁.

이런 단가로 사기 치는 놈들이 제법 있기에 판매금의 몇 퍼센트가 단가인지는 훤히 알고 있었다.

종혁은 빅토르를 보았다.

"컨설턴트로서 조언하자면 빅토르 씨가 큰 성과를 낼 시 아마 도시락과 캔커피를 구하는 게 힘들어질지도 모릅니다."

"알고 있습니다."

자기업의 상품이 외국에 예상보다 많이 팔린다?

기업이 직접 유통에 나서려 할 것이다.

"몸집을 최대한 키우세요. 곧 쓰러질 한국이 다시 일어설 몇 년 동안 최대한."

빅토르는 깜짝 놀랐다.

아직 어린 소년이 거기까지 예측하고 있다는 게 믿기질 않았다.

'아니, 생각해 보면 놀랄 일도 아닌가.'

세상에 어린 천재들은 무척이나 많으니 말이다.

그보다⋯⋯.

"겨우 몇 년이란 말입니까?"

그가 파악한 바에 따르면 한국이 처한 상황은 심각했다. 몇 년으로 그 상황이 해결될 것이라고는 믿기 힘들었다.

"아마 세계가 놀랄 겁니다."

'한국엔 내가 모르는 게 있나보군.'

다른 이였다면 코웃음을 쳤을지도 모른다.

그러나 종혁이기에 웃을 수 없었다.

"그리고 지금 대통령이 옐친이던가요?"

"⋯⋯러시아의 영광을 더럽히는 주범이죠. 그런데 그건 왜?"

"아마 지금쯤 그의 선거캠프에 꽤 많이 힘든 사람이 있을 겁니다. 그와 친구가 되어 보십시오."

빅토르의 눈이 빛났다.

'옐친의 선거캠프에?'

"권력자는 함부로 권력을 놓지 않는 법입니다."

빅토르는 그제야 종혁이 하고픈 말을 알아들었다.

'확실히 옐친의 반대 세력에 인물이 없다.'

즉, 옐친이 물러난다고 해도 옐친의 세력은 러시아 정계에 남아 있게 된다는 뜻이다.

그중 많이 힘든 사람이라면 옐친 세력이긴 하지만 정치와 먼 관계에 있는 사람일 터.

그렇다면 부담이 없었다.

"하하. 공무원들 일 처리가 빨라지겠군요."

간단한 서류 하나를 떼야 해도 반나절은 기본인 러시아.

그리고 외세의 침략, 그가 닦아 놓을 판에 엉덩이를 들이밀 한국 기업에도 경고 정도는 줄 수 있을 것이다.

종혁은 미소를 지었다.

'그래, 딱 그 정도 관계가 좋지.'

"혹시 추천해 주고 싶은 사람이 있습니까?"

"거기까지 컨설팅하면 수익의 10퍼센트를 줘야 하는데……."

'난 푸틴이나 메조베데프밖에 모른다고, 이 양반아.'

그리고 그들이 지금 뭘 하는지도 모른다. 그저 푸틴이

옐친의 후계자가 됐다는 것밖에는.

러시아 밀수꾼들을 잡느라 러시아에 관심이 생겨 이것 저것 조사했을 뿐, 그 이상은 관심이 없었다.

"하하하하하!"

빅토르는 종혁의 장난을 알아차리곤 크게 웃었다.

그에 종혁도 웃음을 터트렸다.

그러다 낯빛을 굳혔다.

"러시아는 곧 혹독한 겨울을 맞이할 겁니다."

빅토르의 표정도 굳었다.

러시아 사람인 그가 그걸 왜 모르겠나.

해가 갈수록 심해지는 인플레이션. 한국에 온 것도 그 혹독한 겨울을 따뜻하게 보내기 위해서다.

"아마 내가 이 나라에 와서 가장 싸게 산 건 최, 당신과의 관계일 겁니다. 다만 가장 가치가 높죠."

"이런, 마치 다시 만나지 않을 것처럼 말하는군요."

"그럴 리가!"

종혁은 장난이었다는 듯 웃으며 손을 내밀었다.

"저 역시 당신과의 인연을 깊게 생각할 겁니다. 다음에 만날 땐 성공한 모습이길 바라겠습니다."

"성공해서 봅시다."

"до свидания(안녕히 계시길)."

"до свидания(안녕히 가시길)."

자동문이 닫히는 걸 바라보던 종혁은 몸을 돌렸다.

그의 눈빛은 꽤 서늘해져 있었다.

"이로써 라인 하나는 만든 건가."

한국엔 참 미제 사건들이 많다.

그중 의외로 러시아와 얽혀 있는 사건들이 꽤 있다.

범인이든 목격자든, 러시아 밀수 조직이든.

나라가 워낙 넓다 보니 어디 숨어 버리면 찾을 수 없고, 러시아 경찰의 콧대가 워낙 높은지라 공조도 쉽지 않다.

그중 종혁의 마음에 걸리는 사건이 하나 있다.

"2007년, 바이칼 호 보물 인양 사기 사건."

총 피해액 372억.

종혁을 죽인, 손목에 문신이 있고 나무 향을 흘리던 그 자식의 조직이 저지른 일이 아닌가 의심이 되는 사건.

당시엔 그러려니 했는데, 회귀한 이후 생각해 보니 냄새가 참 구렸다.

러시아 공무원들까지 합세한 대규모 사기 사건인데, 한국 측 사기꾼들 모두 초짜였다. 그가 마지막으로 조사하다 죽게 된 '무기명 채권 위조 사기' 사건처럼.

300억이 넘는 판을 초짜가 설계한다?

불가능하다. 그놈들 모두 그럴 깜냥이 아니었다.

더 문제는 러시아 공무원들이다. 정확히는 그중 러시아 총책으로 추정되었던 러시아에서 제법 끗발 날리는 정치인의 아들.

그는 사건이 발각된 이후 김쪽같이 사라졌다.

상트페테르부르크를 거쳐 블라디보스토크에 간 것까진

추적했는데, 그 이후로는 종적이 사라졌다.

그리고 3년 후 다시 나타났는데, 러시아에서 인도 거부를 하고 1년 형. 땅땅땅.

이래서 촉이 선 것이다. 거의 100퍼센트다.

빅토르는 그 자식에게로 향하기 위한 줄이다.

마침 이놈의 아버지가 빅토르가 사는 도시를 지역구로 가진 정치인에, 옐친 선거캠프에 있었다. 빅토르가 크게 성공하지 못해도 충분히 연결될 수 있을 것이다.

이를 위해 빅토르를 도운 것이다.

겸사겸사 마르지 않는 화수분이 되어 주고, 러시아 미제 사건과 얽힌 사람도 찾을 수 있으면 좋았다.

"이게 정말 그 조직과 연결되어 있다면, 그 조직은 내가 죽기 5년, 10년 전이 아니라 그 훨씬 전부터 암약했다는 건데…… 씨벌이네."

눈앞이 더 깜깜해졌다.

머리를 벅벅 긁은 종혁은 핸드폰을 들었다.

"예, 태규 씨. 접니다. 곧 러시아에서 모라토리엄을 때릴 겁니다."

모라토리엄.

국가나 지자체가 빌린 돈에 대해 일방적으로 지불을 연기하는 사태.

―예?!

"아마 그건 올해 아니면 내년."

빅토르와 붙어 다니다 보니 러시아에 대해 꽤 많은 게

떠올랐다.

모라토리엄도 그중 하나다.

─…….

"태규 씨?"

─화, 확실한 겁니까? 저, 정말로?

모라토리엄은 국가부도에 준하는 사태다.

붉은 제국 소비에트 연방이 해체되고, 그 영토가 쪼그라들었어도 소련을 전신으로 삼는 나라다.

그런 러시아가 모라토리엄이라니 믿기 힘든 게 당연했다.

"확실하지 않았다면 제가 말했을까요?"

─허.

꽉 막힌 목구멍 틈사이로 겨우 한탄이 새어 나왔다.

─인플레이션이 심하다고는 하더니 결국……. 이런 끔찍한 일은 어떻게 안 겁니까?

벌써부터 모라토리엄을 준비한다?

러시아가 큰 판을 짜고 있다는 소리다.

"어찌하다 보니 러시아 친구를 사귀게 됐습니다."

─한국에서요? 러시아 초고위층을? 근처에 안기부 없습니까? 깜장 양복에 시꺼먼 선글라스를 쓰고 있을 겁니다.

"하핫."

더 이야기하기 싫은 종혁은 목소리를 깔았다.

"할 수 있겠습니까?"

-으음. 썩 재미는 보지 못할 겁니다.

따로 뺄 자금이 없다.

"오늘 중으로 30만 달러를 더 보내겠습니다."

빅토르가 고맙다고 따로 자문료를 지불했다.

-그 돈은 또 언제 버신 건지…….

"그럼 부탁합니다."

전화를 끊은 종혁은 하늘을 가만히 바라봤다.

벌써 10월. 거리 은행나무 잎사귀가 노랗게 물들고 똥 냄새를 풍기기 시작했다.

"이제 곧 전국체전이네."

전국체전에서 회장기로 이어지는 하반기 시즌.

"가야지, 선수촌."

미래를 위한 스펙.

종혁이 미래를 위해 다시 움직이기 시작했다.

(회귀 경찰의 리셋 라이프 2권에서 계속)

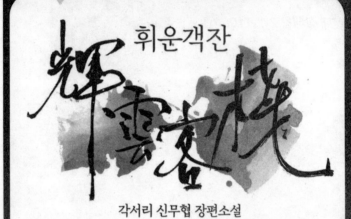